Breve historia
de España en
el siglo XX

Breve historia de España en el siglo XX

Julián Casanova
Carlos Gil Andrés

ariel Quintaesencia

Primera edición: mayo de 2012
Séptima impresión: junio de 2021

© 2012: Julián Casanova, Carlos Gil Andrés

Derechos exclusivos de edición
reservados para España:
© 2012 y 2021: Editorial Planeta, S. A.
Avda. Diagonal, 662-664, 08034 Barcelona
Editorial Ariel es un sello editorial de Planeta, S. A.
www.ariel.es

ISBN 978-84-344-0068-9
Depósito legal: B. 9.784-2012
Impreso y encuadernado en España

El papel utilizado para la impresión de este libro está calificado
como papel ecológico y procede de bosques gestionados
de manera sostenible.

ÍNDICE

INTRODUCCIÓN

«En todos sus asuntos, nada es completamente lo que parece. Andamos a tientas en una especie de niebla cuando tratamos de entenderlos.» La cita pertenece a *El laberinto español*, el libro que Gerald Brenan empezó a redactar en Gran Bretaña mientras la guerra civil desangraba España. El autor escribía casi enfermo de ansiedad y de emoción, horrorizado por el «frenesí histérico de matanza y destrucción» que había visto con sus propios ojos en el verano de 1936, antes de abandonar la Península. España era su pasión intelectual. En 1919 había atravesado la «infinita piel de toro amarillenta» viajando en sucios vagones de tercera atestados de campesinos con gallinas y hatillos de verduras; había dormido en pobres posadas con jergones llenos de chinches y de pulgas hasta encontrar el retiro que buscaba, un pequeño pueblo perdido en las Alpujarras, un paisaje que le parecía más cercano a las montañas de Afganistán o a las aldeas bereberes del norte de África que a la Europa populosa de la que procedía, ensombrecida por la experiencia devastadora de la Gran Guerra.

Para Brenan España era el país del sentimiento exaltado de la «patria chica», del pensamiento oriental, del hambre y las privaciones de todo género, de la inmensa injusticia agraria, del fervor casi religioso del anarquismo popular, de la permanente invitación a la revolución, difícil de gobernar aun en sus mejores épocas. En su opinión, la guerra civil había sido la explosión de un polvorín que se había ido acumulando lentamente, el escenario de un drama en el que se representaban en miniatura los destinos del mundo civilizado. Porque España no vivía aislada de los acontecimientos europeos, pero sus habitantes se enfrentaban a situaciones sociales y económicas muy diferentes y sólo reflejaban de manera superficial y con retraso las tendencias políticas de las grandes naciones. «Todo lo que se encuentra en España es *sui generis.*» En 1949 Brenan volvió y se encontró una sociedad bloqueada por la miseria, sumida en la peor resaca, «la que sigue a una guerra civil y a un reinado del terror». En los años cincuenta regresó para quedarse definitivamente a vivir en un país «disfrazado con modernas formas europeas en las que no encaja, y contra las cuales ofrece una resistencia continua y no del todo consciente», un territorio que seguía definiendo como «enigmático y desconcertante».

De alguna manera, la biografía del hispanista inglés simboliza como pocas la historia del siglo XX. Cuando nació, en 1894, España era un viejo imperio venido a menos en las vísperas de su «desastre» final. La esperanza media de vida de la población no superaba los treinta y cinco años. La mayoría de los españoles permanecía al margen del sistema político y muchos tenían que cruzar el Atlántico para ganar en las antiguas colonias el pan que les faltaba en sus comunidades de origen. Era un país de emigrantes, de perseguidos y de desterrados. En el exilio murieron Alfonso XIII, el rey coronado al comenzar el siglo, y Primo de Rivera, el dictador que lo arrastró en su caída. Y los dos presidentes de la Segunda República, Alcalá Zamora y Azaña, y la mayoría de sus jefes de Gobierno, igual que otros cientos de miles de personas que al terminar la guerra civil emprendieron un éxodo masivo para escapar de la represión. Durante el franquismo muchos españoles vivieron en un exilio interior impuesto por el silencio y la lucha por la supervivencia y varios millones de hombres y mujeres salieron de nuevo al extranjero en busca de trabajo. Quien nunca lo tuvo que hacer fue Franco, que murió en la cama de un hospital después de casi cuatro décadas de poder autoritario.

Brenan pertenecía a la misma generación de Franco, apenas dos años más joven que el dictador. Falleció casi a los noventa y tres años de edad, en 1987, una longevidad también producto de los cambios del siglo. Entonces España era ya una sociedad moderna plenamente integrada en la Europa comunitaria, una democracia consolidada que crecía y se transformaba con una extraordinaria rapidez. Su entierro definitivo en la tierra que tanto había amado y estudiado tuvo lugar en enero de 2001, apenas veinte días después de terminar la centuria, en un país que se parecía muy poco al que había descubierto ochenta años atrás. Ya no era un destino exótico y romántico para viajeros inquietos que buscaran nuevas sensaciones sino el lugar de acogida elegido por oleadas de inmigrantes desplazados de sus países por la pobreza y la inseguridad.

La fama que Brenan alcanzó como escritor le ha sobrevivido, pero no su visión de la historia peninsular, superada por los análisis de hispanistas más jóvenes y por una generación de historiadores españoles que, desde los años ochenta, han ampliado los temas de estudio, han renovado los métodos de investigación y también las maneras de abordar e interpretar el pasado para revisar y desmontar los tópicos más usados y los lugares comunes más repetidos. Hoy sabemos que la historia de España del primer tercio del siglo XX no fue la crónica anunciada de una frustración secular que, forzosamente, tenía que acabar en una tragedia colectiva; un cúmulo de fracasos y carencias —de la industria y la agricultura, de la burguesía y las clases medias, del Estado y la sociedad civil— que impidieron al país seguir la vía europea hacia el progreso y la modernización. La época de la Restauración no fue un estanque inmóvil de aguas tranquilas donde nada se movía; ni tampoco fue la breve experiencia democrática de la Segunda República el prólogo inevitable de la Guerra Civil; ni la larguísima dictadura franquista un paréntesis que, a la postre, propició el desarrollo económico y el advenimiento de la libertad; ni la transición hacia la democracia un guión perfecto escrito de antemano desde las alturas del poder.

La historia de España no discurrió al margen de la europea, no fue ajena a las profundas transformaciones sociales, económicas, políticas y culturales vividas en el resto del continente. Hay muchas más similitudes que diferencias, sobre todo con los países cercanos del ámbito meridional. Los historiadores conocemos también que no existe un modelo «normal» de modernización frente al cual España pueda ser comparada como una excepción anómala. Casi ningún país europeo resolvió los conflictos de los años treinta y cuarenta —la línea divisoria del siglo— por la vía pacífica. En la época *dorada* posterior, el crecimiento económico y la extensión del Estado del Bienestar tuvieron lugar tanto en países monárquicos como republicanos, tanto con gobiernos socialdemócratas como con coaliciones democratacristianas. Fuera de la Europa Occidental el panorama es todavía desalentador. La brecha de la desigualdad ha ido creciendo en vez de disminuir. Una de las lecciones que nos ha dejado el siglo XX es que no existía un camino lineal que conducía de manera ininterrumpida hacia el progreso, un esquema único que podían seguir todos los países del mundo para alcanzar el desarrollo y el bienestar colectivo.

Las cosas fueron de una manera determinada, pero pudieron haber sido muy distintas. La historia del siglo está poblada por fracturas y retrocesos, por revoluciones violentas y conflictos enconados entre ideologías opuestas, por Estados totalitarios y dictaduras de todo signo, por guerras mundiales y catástrofes humanas sin precedentes que han dejado en penumbra las luces espectaculares de los descubrimientos científicos y las mejoras materiales. Cien años de barbarie y de civilización; de víctimas civiles y de conquistas ciudadanas.

Porque el siglo XX ha sido también testigo de los cambios sociales más acelerados de la historia de la humanidad. Un tiempo que para España ha supuesto el final de la transición demográfica, la desaparición del mundo tradicional campesino, la generalización de la educación, la emancipación de las mujeres, la revolución de los medios de transporte y de comunicación, la creación de la opinión pública y la extensión de los derechos ciudadanos. Al comenzar la centuria había escritores que hablaban de la «era de las masas», un concepto casi siempre peyorativo que escondía el temor a las multitudes que salían a la calle a reclamar derechos, a las mayorías que podían derribar gobiernos en las urnas. Cuando el novecientos ha pasado ya a la historia, parece más correcto hablar del siglo de los ciudadanos, del acceso de la gente corriente a las libertades individuales, a los derechos políticos y laborales y a los nuevos derechos sociales que demanda la sociedad civil. Hemos olvidado con demasiada rapidez que no siempre estuvieron a nuestro alcance, que no fueron concesiones gratuitas de los poderosos sino logros colectivos de generaciones enteras y de personajes extraordinarios que se empeñaron en mejorar el mundo en el que habían nacido.

Demasiados nombres propios, demasiados acontecimientos para que aparezcan todos en un libro que pretende abarcar la historia del siglo XX en poco más de doscientas páginas. Es posible que algunos lectores echen de menos el apunte de un dato concreto, la mención de un apellido relevante o el relato de un suceso notorio. Un trabajo de síntesis es siempre una selección limitada. Los historiadores elegimos y clasificamos las huellas que nos ha dejado el pasado para construir interpretaciones generales que nos ayuden a comprender los problemas históricos más importantes. Quien busque una crónica más detallada de los hechos, un estudio más profundo de las variables económicas, los acontecimientos políticos, las estructuras sociales y los cambios culturales puede hacerlo en las enciclopedias, las colecciones de varios volúmenes o los manuales más extensos disponibles en librerías y bibliotecas. En la última década se han publicado muchas obras sobre la España del siglo XX, algunas de ellas realmente buenas. Pero un lector no especializado, un estudiante universitario o un extranjero interesado en conocer la historia más reciente de España tienen dificultades para encontrar un libro manejable que relate los hechos esenciales y explique los cambios y los procesos fundamentales de un siglo intenso, controvertido y extraordinariamente complejo.

Ése es el espacio que pretenden ocupar las páginas de este libro, que quiere ser también una invitación a la lectura de otros libros, como los que aparecen en la bibliografía comentada incluida al final del texto. El conocimiento histórico debe salir del ámbito académico y llegar a un público más amplio, a una nueva generación de españoles que no tiene una experiencia de primera mano del siglo que hemos abandonado y que necesita comprender la complejidad de los fenómenos del pasado para abordar mejor los problemas del futuro. Los historiadores no somos anticuarios encerrados en los archivos, de espaldas al mundo en el que vivimos. Escribimos desde el presente, comprometidos con la sociedad, conscientes de que la investigación es sólo una parte de nuestro trabajo. Tenemos la obligación de enseñar y divulgar el largo y tortuoso proceso que nos ha traído la democracia, la tolerancia y la convivencia pacífica. Una historia inacabada. Como dijo Azaña en la plaza de toros de Madrid, en un discurso pronunciado en septiembre de 1930, «la libertad no hace felices a los hombres; sencillamente los hace hombres». El resto depende de todos nosotros.

JULIÁN CASANOVA
CARLOS GIL ANDRÉS
Febrero de 2012

LA MONARQUÍA DE ALFONSO XIII

CAPÍTULO 1

LA HERENCIA DE UN SIGLO

El comienzo del siglo XX no supuso en España la apertura de un nuevo período histórico. El régimen político de la Restauración, construido a partir del regreso al trono de la dinastía borbónica y de la aprobación de la Constitución de 1876, sobrevivió sin grandes cambios hasta 1923. El nuevo siglo heredaba problemas y conflictos tan importantes como la insuficiente nacionalización del Estado, los límites de la representación política, el peso de instituciones como el Ejército o la Iglesia o la falta de canales legales para la incorporación de las demandas de las clases populares. Sin embargo, a pesar de los problemas apuntados, la historiografía más reciente ha desterrado el mito del fracaso como modelo explicativo. Fracaso de la industrialización, inexistencia de revolución burguesa, ausencia de modernización agraria, arcaísmo del sistema caciquil, desmovilización popular... En realidad, la sociedad española que asistía al *Desastre* del 98 se mostraba más dinámica, moderna y compleja de lo que hacían ver los propios contemporáneos que con tanto éxito difundieron la imagen tópica de la decadencia y el inmovilismo.

El Desastre del 98

La guerra en Cuba empezó en febrero de 1895, con el famoso *grito de Baire,* una insurrección bien organizada por líderes como Máximo Gómez, Antonio Maceo y José Martí. El Gobierno de Sagasta, que había declarado su intención de defender la soberanía española hasta la última peseta y hasta el último hombre, dejó paso a finales de marzo a Cánovas del Castillo, decidido también a enviar un barco tras otro desde la Península para poner fin a la rebelión. Los 15.000 soldados presentes en la isla al comenzar la primavera eran más de 100.000 a fin de año y pasarían de 200.000 en las campañas siguientes. De momento, en 1895, la acumulación de hombres no consiguió el resultado esperado. La insurrección, lejos de sofocarse, se acrecentaba. Las partidas rebeldes rechazaban el combate abierto y desgastaban a las unidades españolas gracias a su mayor movilidad, al conocimiento del terreno y al apoyo de la población civil.

El capitán general Martínez Campos fue sustituido en enero de 1896 por Valeriano Weyler, un militar con una fama de dureza. Las columnas españolas, en marchas y contramarchas extenuantes, hostigaban sin descanso a los rebeldes, aislados por el sistema de las trochas, las líneas fortificadas que atravesaban la isla de norte a sur. La política de «tierra quemada», pensada para eliminar los apoyos sociales de los independentistas, constituyó una estrategia de guerra a ultranza que desprestigió la imagen exterior de España, denunciada como cruel e inhumana, y que proporcionó a Estados Unidos el argumento que necesitaba para justificar su beligerancia y una posible intervención militar. Y no sólo en las islas de Cuba y Puerto Rico, cercanas a sus costas, sino también en Filipinas, donde en agosto de 1896 se había producido una rebelión independentista que obligó al Gobierno español a desplazar hasta el lejano archipiélago a 30.000 soldados comandados por el general Camilo Polavieja, otro militar inflexible que no dudó en mandar fusilar a Rizal, el líder de los nacionalistas.

La situación de Cuba no mejoró en 1897. Aunque todas las poblaciones de importancia permanecían en manos españolas, los insurrectos eran dueños del campo, una situación que se mantuvo hasta el final de la guerra. La llegada de un nuevo verano, en medio de la temida estación de las lluvias, se convirtió en el peor enemigo. Apenas un 4 por ciento de los más de 50.000 soldados españoles muertos en Cuba falleció por heridas de guerra. La gran mayoría cayó víctima de la fiebre amarilla, el paludismo, la disentería, la fiebre tifoidea y otras enfermedades tropicales que se cebaron en unos cuerpos agotados, mal alimentados y con una indumentaria inadecuada.

En esa situación se produjo el atentado que acabó con la vida de Cánovas, el 8 de agosto de 1897, asesinado por un anarquista de origen italiano, Miguel Angiolillo, en el balneario guipuzcoano de Santa Águeda. La desaparición del líder conservador fue también el final de Weyler. El nuevo Gobierno liberal, con Sagasta otra vez al frente de la guerra, envió a la isla al general Ramón Blanco con órdenes que incluían la derogación de las medidas excepcionales, un amplio indulto para condenados y exiliados y un programa notable de reformas autonomistas. Demasiado tarde. Los rebeldes habían ido demasiado lejos como para pensar en otro final que no fuera la independencia. En los primeros meses de 1898, el Ejército Libertador prosiguió su ofensiva en el oriente de la isla obligando a los españoles a retirarse a las plazas fuertes.

La voladura del *Maine* en el puerto de La Habana, probablemente debida a un accidente, fue la excusa esperada por los norteamericanos para justificar su intervención. El 18 de abril, el Senado y la Cámara de Representantes autorizaron al presidente McKinley a enviar un ultimátum a España que, en el fondo, era una declaración de guerra. Una guerra tan rápida como desigual. El 1 de mayo se produjo la derrota naval de Cavite, en aguas de Filipinas, el 3 de julio la pérdida de la escuadra de Cervera, el 17 la rendición de Santiago de Cuba, el 25 la ocupación de Puerto Rico y el inicio de las conversaciones de paz. Los preliminares acordados el 12 de agosto coincidieron casi con la capitulación de Manila, en Filipinas. Y aunque la firma del

Tratado de París se pospuso hasta el 10 de diciembre, al terminar el verano comenzaron a llegar a los puertos y las estaciones de tren de la Península los repatriados vestidos de *rayadillo*, una impresión penosa que se convirtió en la imagen más cercana y visible de la derrota.

De la noche a la mañana, como si la nación hubiera despertado bruscamente de un sueño secular, se pasó del triunfalismo infundado y vocinglero al desengaño, el desencanto, la protesta y la exigencia de responsabilidades. El Gobierno suspendió las garantías constitucionales ante los rumores de un levantamiento carlista, de un pronunciamiento republicano o incluso de un golpe de Estado militar. Pero no pasó nada. Los liberales continuaron sin problemas en el Gobierno hasta que, en febrero de 1899, cedieron el *turno* a un gabinete conservador presidido por Silvela. Una parte del movimiento regeneracionista quedó incluida dentro del sistema dinástico y el resto, como las protestas de las Cámaras Agrarias y las Cámaras de Comercio, las «fuerzas vivas» del país, se difuminó en los meses siguientes sin llegar a articular una alternativa política.

Sin embargo, el largo eco de esa literatura regeneracionista, teñida de un marcado tono de condena moral, influyó de manera notable en el éxito posterior de la teoría del «fracaso» como modelo explicativo de todo lo que había pasado en la España de la Restauración, una visión estereotipada que la historiografía de los últimos años ha revisado proponiendo un análisis más complejo y multiforme, insertando el estudio del caso español dentro del panorama general europeo.

El edificio de la Restauración y sus fisuras

En el siglo XIX era difícil encontrar otro Estado europeo que hubiera pasado por tantos pronunciamientos militares, revueltas populares, revoluciones y guerras civiles como los que se sucedieron en España. Antonio Cánovas del Castillo era consciente de esa historia conflictiva cuando promovió el regreso a España de los Borbones en la figura del joven príncipe Alfonso. La Constitución de 1876 fue la piedra angular de un régimen doctrinario que pretendió superar ese pasado borrascoso construyendo a su alrededor un contexto seguro y duradero alejado de los sobresaltos y vaivenes provocados por las asonadas militares, los levantamientos republicanos y carlistas y el peligro creciente de los movimientos de protesta de las clases populares. Desde este punto de vista, no se puede negar el éxito de la Restauración. Subsistió sin grandes cambios durante medio siglo, con una moderada capacidad de adaptación a las circunstancias de cada coyuntura, y no mostró signos visibles de agotamiento por lo menos hasta la Primera Guerra Mundial, cuando dejó al descubierto sus limitaciones de partida para convertir un sistema político elitista, propio del siglo XIX, en la democracia de participación ciudadana que demandaba la sociedad de masas del siglo XX.

Una de las claves de la excepcional duración de la Restauración descansaba en el carácter ecléctico de la Constitución de 1876, firme en sus bases conservadoras pero ambigua en la redacción de muchos artículos. El texto no escondía las raíces doctrinarias de la ideología de Cánovas visibles, por ejemplo, en el regreso al sufragio censitario, la defensa de un orden público militarizado, el retorno al carácter confesional del Estado y las limitaciones del poder legislativo del Parlamento, en la fórmula conocida de soberanía compartida entre las Cortes y el Rey. El régimen puso en marcha el modelo bipartidista de inspiración británica que perseguía el reparto pacífico del poder entre las elites conservadoras y liberales y la inclusión progresiva, en los márgenes del sistema, de escisiones del carlismo y el republicanismo que renunciaran a tentaciones insurreccionales. La alternancia política fue un acuerdo tácito que no tomó cuerpo de letra hasta 1885, en el llamado *Pacto del Pardo*, un refrendo obligado por las circunstancias, la temprana muerte de Alfonso XII y el inicio de la regencia de

María Cristina. Avances notables fueron la Ley de Asociaciones de 1887, el Juicio por Jurados de 1888, el Código Civil aprobado en 1889 y la concesión del sufragio universal masculino en 1890.

El funcionamiento del sistema político era bien conocido por los contemporáneos. El voto de las urnas no determinaba la composición del Parlamento y éste, a su vez, el signo político del poder ejecutivo, sino que era la prerrogativa regia la que decidía el Gobierno, quien «fabricaba» una Cámara legislativa favorable. En efecto, cuando se producía una situación de crisis o se consideraba que la acción gubernamental había desgastado a un gabinete se ponía en marcha el mecanismo del *turno*. El Rey nombraba entonces presidente del Consejo de Ministros al líder del partido contrario y le entregaba el decreto de disolución de las Cortes. Antes de convocar las elecciones generales se producía la operación del *encasillado*. Desde el Ministerio de Gobernación se acordaba un reparto de escaños y se nombraba a los gobernadores civiles, los encargados de pactar con las elites provinciales y los notables locales unas elecciones amañadas que garantizasen el resultado esperado. De esa manera, el Gobierno se aseguraba una cómoda mayoría.

Hay que tener en cuenta que tanto liberales como conservadores formaban parte de partidos de notables que agrupaban a dirigentes y clientelas regionales dentro de un grupo parlamentario pero sin una entidad jurídica independiente. No había registro de afiliados ni una estructura capaz de movilizar a la opinión pública más allá de los banquetes, discursos y visitas electorales de los momentos previos a los comicios. En las ciudades grandes existía un pequeño margen para que los partidos antidinásticos obtuvieran representación. Pero en las pequeñas capitales de provincia y en los distritos rurales no había espacio para la sorpresa. En la mayoría de los casos se respetaba el turno entre liberales y conservadores, a veces con la imposición de candidatos foráneos, los llamados *cuneros*, pero también había un buen número de distritos, denominados «propios», donde se repetían siempre los mismos nombres.

Ése era el escenario donde actuaba el *cacique*, pieza básica en el entramado político local y centro de las críticas regeneracionistas. Desde hace años, sin embargo, los historiadores parecen estar de acuerdo en una interpretación que sitúa el caciquismo no como un parásito adosado al organismo sano de la sociedad, ajeno a la «España real», ni como una correa de transmisión automática de un «bloque de poder» monolítico sobre una población apática y analfabeta, sino como un fenómeno central para comprender la cultura política de la Restauración y las raíces sociales del poder. Un modelo clientelar desarrollado en Estados centralizados y urbanos, con una Administración moderna pero de recursos limitados, que no habían completado el proceso de nacionalización y coexistían con sociedades predominantemente agrarias en las que el poder estaba fragmentado en parcelas locales, espacios políticos donde subsistían identidades previas comunitarias y lazos tradicionales de carácter corporativo.

Un fenómeno complejo que sólo se empieza a comprender si se abandona la visión tradicional que estudiaba el sistema político en dirección descendente, de arriba abajo, y se observa más de cerca, en un sentido ascendente, partiendo desde la realidad concreta de los poderes locales y la estructura social y económica de las comunidades rurales. Las actitudes de conformidad y deferencia de los campesinos formaban parte de una estrategia que tenía un objetivo básico, la reproducción de la unidad familiar y el acceso a los recursos de la tierra y a los servicios de la comunidad local. Para ese fin, los vecinos de los pueblos, conscientes de lo que podían esperar de la política oficial, de un Estado percibido como algo lejano y extraño, utilizaban los medios que tenían a su alcance. A través de una red de relaciones personales, en el ámbito de una cultura escasamente letrada, el *cliente*, a cambio de fidelidad, esperaba del *patrón* beneficios relacionados con la tenencia de la tierra, el precio de los arrendamientos, préstamos de capital, empleos estables y reparto de jornales. Y también toda una serie de ventajas administrativas, utilizadas de un modo arbitrario, resumidas en una famosa sentencia: al amigo el favor, al enemigo la ley.

En ese Parlamento tejido por las presiones clientelares, los intereses locales y los negocios privados, con una actividad intermitente debido a las continuas suspensiones y las disoluciones anticipadas, no había mucho espacio para la acción política de la oposición antidinástica. El carlismo se había convertido, tras la derrota militar de 1876, en un movimiento disperso y desorganizado que poco podía preocupar a los primeros Gobiernos de la Restauración. Un proceso parecido se vivió dentro de las filas del republicanismo, fragmentado en pugnas por el liderazgo y en debates en torno a los principios doctrinales progresistas, dividido en grupos de notables y pequeños partidos que iban desde el federalismo de Pi y Margall y el radicalismo de Ruiz Zorrilla a tendencias reformistas de Azcárate y Salmerón o el posibilismo de Castelar. La hora de la barricada y la asonada había pasado y venían nuevos tiempos de movilización social en la calle y de lucha electoral dentro de la vía parlamentaria. No obstante, el republicanismo de finales de siglo tenía un protagonismo indiscutible en el ámbito de la renovación cultural y educativa, siguiendo la estela de la Institución Libre de Enseñanza, y una presencia destacada en los espacios de sociabilidad urbana, con una amplia red de casinos, círculos y sociedades. Un movimiento social amplio y diverso, con bases firmes entre la pequeña burguesía y las clases medias pero también en el mundo del trabajo, donde competía con anarquistas y socialistas a la hora de representar el descontento popular.

La llamada «cuestión nacional», el surgimiento de los nacionalismos periféricos, tenía en Cataluña y en el País Vasco raíces culturales y sociales visibles desde mediados del siglo XIX, pero fue en la última década cuando esos movimientos tomaron cuerpo político. En el caso del País Vasco, los años finales del siglo marcaron el salto entre la pervivencia del tradicionalismo rural y la reivindicación de los fueros y lo que había de ser una verdadera ideología nacionalista. En 1895, en torno a la figura de Sabino Arana se constituyó el núcleo fundador del Partido Nacionalista Vasco, una respuesta, en buena medida, a la acelerada transformación demográfica, económica y urbana experimentada en las comarcas industriales y mineras, a la doble amenaza del poder creciente de la gran burguesía capitalista y de las organizaciones socialistas.

El surgimiento del nacionalismo catalán tuvo características muy diferentes. Desde mediados de siglo, el descontento de las elites burguesas catalanas por el centralismo de los sucesivos Gobiernos españoles fue construyendo una identidad catalanista en torno al movimiento romántico de la *Renaixença*. A partir de 1880 se difundió la idea de una comunidad nacional. La Unió Catalanista, un movimiento de raíces conservadoras, fijó su programa en las *Bases de Manresa* aprobadas en 1892, una reivindicación lingüística y cultural que pedía también la creación de instituciones propias en el interior de Cataluña. En 1901 la creación de la Lliga Regionalista, un partido conservador y autonomista, con líderes como Prat de la Riba y Francesc Cambó, supuso el anuncio de una hegemonía que se iba a extender durante el primer cuarto del siglo xx.

A finales de siglo, el Estado liberal español estaba básicamente construido, tenía unos límites territoriales peninsulares no cuestionados, un cuerpo administrativo homogéneo, bien organizado en ministerios, un ordenamiento jurídico moderno, un sistema fiscal unificado y un régimen político de representación limitada que conectaba los intereses de las elites locales con el poder gubernamental. Un Estado centralizado con vocación de fortaleza, siguiendo el modelo francés, pero incapaz de llegar a todos los rincones del país, salvo para extraer impuestos y reclutas, y menos aún de extender a la mayoría de la población un proceso de nacionalización que mostraba graves carencias. Entre los factores que explican esas limitaciones hay que subrayar las divisiones políticas y los enfrentamientos violentos del proceso de construcción del Estado liberal, la falta de recursos para ofrecer servicios públicos y un desarrollo industrial tardío, localizado en regiones de la periferia que no se correspondían con los centros de decisión política. Además, el Estado español se encontró con la oposición de la Iglesia católica frente a cualquier medida secularizadora que disminuyera sus privilegios, con la injerencia constante del Ejército en la vida civil y con un sistema oligárquico y caciquil contrario a las reformas de carácter democrático.

La sociedad, cambio y pervivencia

En 1900, la esperanza media de vida en España no llegaba a los treinta y cinco años, una cifra bajísima, muy por debajo de la media europea, que señala, quizá mejor que ninguna otra, las difíciles condiciones de vida que tenía que soportar la mayoría de los 18,6 millones de habitantes. La elevada tasa de mortalidad, un 29 por mil, y la altísima mortalidad infantil —de cada mil niños nacidos, 186 morían antes de cumplir un año— tenían que ver, sobre todo, con la falta de medidas higiénicas y sanitarias, con una alimentación deficiente, con la ignorancia de las causas de las enfermedades y de sus vías de transmisión y con el desinterés de la Administración. A las huellas del hambre y de las epidemias periódicas había que sumar la mortalidad provocada por enfermedades endémicas como la viruela, el sarampión, la disentería, el tifus, la tuberculosis o las peligrosas infecciones intestinales que tradicionalmente diezmaban a las familias de las clases populares. En los barrios obreros de las ciudades, la situación no era mejor. Viviendas hacinadas, problemas de las aguas residuales y condiciones lamentables en los lugares de trabajo, con cifras muy altas de accidentes laborales y de enfermedades relacionadas con la insalubridad y la falta de higiene. El proceso de transición demográfica apenas había comenzado.

Otro indicador relevante del retraso en el que se encontraba España respecto a los países más avanzados de su entorno era el analfabetismo. En 1900, el año de la creación del Ministerio de Instrucción Pública, de cada 100 españoles en edad adulta 56 no sabían leer ni escribir, un porcentaje que todavía era más alto en el caso de las mujeres o en regiones agrarias donde el trabajo intensivo en el campo ataba a los niños a la tierra. El tercer fenómeno que llama la atención, si comparamos el caso español con el marco general europeo de entresiglos, es el tardío proceso de urbanización. Al terminar la centuria, Madrid y Barcelona apenas superaban el medio millón de habitantes y se podían contar con los dedos de las manos el número de ciudades que llegaban a los cien mil. España era un país mayoritariamente rural. El 80 por ciento de la población vivía todavía en localidades que no superaban los 10.000 habitantes, un dato subrayado por el peso del sector primario dentro de la economía nacional. Las tareas agrarias producían más de un 40 por ciento de la riqueza general del país y ocupaban al 68 por ciento de la población activa.

Pero una imagen fija, la que hemos trazado en torno al año 1900, impide apreciar el cambio. La España de inicios del siglo XX, aunque era cierto que se encontraba claramente detrás de los países más avanzados, había seguido una variante reconocible del camino europeo hacia el desarrollo. Una variante mediterránea, con características y ritmos similares a los de Italia, Portugal o incluso Grecia. Más que de un fracaso secular habría que hablar, entonces, de un retraso relativo y de un crecimiento moderado. El producto per cápita había crecido casi dos tercios en la segunda mitad del siglo XIX, la red ferroviaria básica estaba prácticamente construida y la estructura industrial mostraba indicios de una incipiente diversificación productiva en campos como el de la siderurgia, la construcción, el material eléctrico o la fabricación de abonos y explosivos. Nuevos sectores, nacidos con la segunda Revolución industrial, y también nuevas técnicas aplicadas a elaboraciones tradicionales como las conservas vegetales y de pescado, el calzado, el papel, el aceite, el vino y la harina. El número de sociedades mercantiles registradas y la ampliación del sistema financiero, ayudado por el retorno de capitales indianos, constituían también buenos ejemplos de un tejido productivo dispuesto a aprovechar las oportunidades de crecimiento que iba a traer el siglo XX, un tren que España no perdió, aunque no ocupara uno de los vagones preferentes.

Algo parecido podría decirse respecto al sector primario español. La agricultura española no fue ajena a las grandes transformaciones generadas por la revolución liberal y a la extensión en el campo de las relaciones económicas capitalistas. Un proceso limitado, eso sí, por las condiciones biológicas y medioambientales peninsulares, lo que generó menores tasas de crecimiento, fuertes desigualdades sociales y una larga serie de conflictos y enfrentamientos. En las regiones del centro y el sur del país, de predominio cerealístico, faltaban tanto el agua y el abono orgánico como una oferta tecnológica adecuada. Diferente fue la situación de las regiones húmedas del norte, donde convivían las explotaciones ganaderas y la agricultura de autoconsumo, y la de las zonas de regadío de la periferia mediterránea especializadas en cultivos de huerta y frutales, mucho más relacionadas con el comercio exterior. Pero la transformación fundamental aún estaba por venir. El uso intensivo de fertilizantes minerales y químicos, la renovación tecnológica y los planes hidráulicos son procesos que pertenecen a la historia del siglo XX y que apenas se habían iniciado a finales de la centuria anterior.

De todas formas, aunque fuera de una manera modesta, la agricultura española no dejó de crecer en el siglo XIX y mostró una notable capacidad de adaptación a los cambios y los retos del mercado. La crisis finisecular fue uno de ellos. La revolución de los transportes integró el mercado internacional de productos agrarios y provocó un descenso generalizado de los precios, una caída que afectó de manera especial a los cereales españoles, incapaces de competir con los granos extranjeros. La primera respuesta fue la imposición de barreras arancelarias para reservar el mercado interno a la producción nacional, una política proteccionista que no fue una anomalía española y tampoco un freno insalvable para el desarrollo agrario. El sector vitivinícola, afectado por una crisis de sobreproducción, tuvo que hacer frente a la reconstrucción del viñedo cuando la plaga filoxérica, que había terminado con las plantaciones francesas, llegó también a España.

La sociedad rural se adaptó a los cambios y mostró una notable capacidad de autorreproducción pero, al mismo tiempo, mantenía profundas desigualdades sociales. Los jornales medios de la época rara vez llegaban a las 2 pesetas, una cantidad muy inferior, sin duda, en el caso de las mujeres y algo mayor en el mundo de los obreros cualificados. Las diferencias de género, de oficio o de lugar geográfico no invalidan un panorama general de inseguridad y de precariedad. Inseguridad económica, laboral, jurídica y social ante cualquier emergencia, enfermedad o accidente. La pobreza era un problema extenso y permanente que amenazaba a tres cuartas partes de la población española. No era de extrañar que las clases populares percibieran con temor y hostilidad la variación de unos céntimos en el precio del pan, el anuncio de un recargo del odiado impuesto de consumos, la amenaza de desaparición de un recurso comunal o la llegada del sorteo de quintas que se llevaba los brazos de los hijos pobres que no tenían dinero para pagar la redención en metálico.

La manifestación pública más visible de ese malestar era la repetición periódica de los motines y alborotos populares, acciones en las que destacaban las mujeres, protagonistas indiscutibles de las protestas como consecuencia de las obligaciones y responsabilidades que asumían dentro de la familia y de la comunidad. Los gritos de pan barato, fuera los consumos y abajo las quintas recorrieron la historia de España en el ochocientos y todavía, a finales de siglo, se escucharon con fuerza en las calles de muchas poblaciones.

Los conflictos se agravaban porque en España la inexistencia de cuerpos de policía dejaba en manos militares el mantenimiento del orden público y la represión de cualquier tipo de disturbio, por pequeño que fuera. El empleo inadecuado de la Guardia Civil, armada con fusiles máuser, y el recurso constante al Ejército provocaban un grado de violencia desproporcionado, la sujeción de los paisanos detenidos a la jurisdicción militar y la hostilidad de la población hacia las Fuerzas Armadas. Para eludir el riesgo de represión existían otras formas de protesta «menores», acciones anónimas y silenciosas, normalmente individuales, que eran consideradas como delitos comunes pero que tenían un claro trasfondo social. Actos ilegales como la evasión del servicio militar —los prófugos y las excepciones fraudulentas—, el impago de impuestos o toda una serie de manifestaciones de resistencia campesina, un amplio conjunto de expresiones de disidencia que mostraban, junto a las acciones colectivas, el interés de los sectores más desprotegidos por la gestión de los recursos comunitarios y por los asuntos públicos. Era la forma de hacer política de la gente sin poder.

Pero en la frontera del siglo XX estas protestas populares «tradicionales» empezaban a coexistir con nuevas formas de movilización social, con nuevas ideas, demandas y expectativas cada vez más relacionadas con el mundo del trabajo y con el ámbito de la política nacional. La extensión de las relaciones económicas capitalistas producía una mayor fragmentación y desigualdad social dentro de las comunidades y permitía la construcción de otras identidades como la de la clase obrera. Los obreros empezaban a situarse en nuevas posiciones respecto a otros grupos sociales, con un lenguaje diferente y con la conciencia de estar vinculados de forma sostenida a un movimiento que les permitía mantenerse firmes frente a patronos y autoridades. A ello ayudaban los avances de la urbanización, la mejora de los transportes, el desarrollo de medios de comunicación de masas como la prensa, la ampliación de las oportunidades políticas y el ejemplo de los éxitos de nuevas formas de acción colectiva como la huelga, el mitin o la manifestación.

A finales del siglo XIX la mayoría de los obreros asociados no procedía de las galerías de las minas, de los grandes latifundios o de los centros industriales más modernos y mecanizados. En las ciudades de provincias, e incluso en el entorno de Barcelona, todavía predominaban las pequeñas fábricas y los talleres de obreros especializados, con mayores recursos, relaciones solidarias y capacidad de organización que los trabajadores no cualificados, los peones y las mujeres, que se incorporaron con retraso al mundo industrial. En este sentido fueron muy importantes las sociedades de socorros mutuos. Con el tiempo, muchas de ellas se convirtieron en el germen de sociedades de resistencia dedicadas a la defensa de las condiciones de trabajo. Crearon lazos internos y vínculos comunitarios que constituyeron verdaderas escuelas de aprendizaje y reivindicación de ciudadanía en el camino hacia la conciencia política. Alrededor del mundo asociativo de los oficios surgió una cultura obrera de austeridad, moralidad y relaciones solidarias, un universo reducido donde paulatinamente se fue construyendo la conciencia de clase con reivindicaciones materiales pero también con objetivos simbólicos, con ritos y festividades propias como el Primero de Mayo, celebrado desde 1890. La primera Fiesta del Trabajo puso de relieve la capacidad de las sociedades y centros obreros para ocupar la calle pero también los límites de su movilización y las divisiones entre las dos grandes doctrinas ideológicas que buscaban la emancipación del proletariado: anarquismo y socialismo.

En España, la primera expansión del anarquismo, dentro de la AIT, había terminado con la insurrección cantonal y la desaparición de la I República. Durante el último cuarto del siglo XIX las divisiones internas y la represión indiscriminada terminaron con las esperanzas de forjar una gran organización de masas. El movimiento quedó escindido entre las sociedades que defendían la lucha sindical, las reivindicaciones laborales y la participación en movilizaciones generales, y los colectivos ácratas, que apostaban por las organizaciones secretas, la pureza doctrinal y las represalias violentas, la «propaganda por el hecho», con sonadas acciones terroristas como el atentado contra el general Martínez Campos, la bomba del Liceo de Barcelona, la de la procesión del Corpus y, en 1897, por el asesinato de Cánovas.

Los socialistas, por su parte, habían permanecido prácticamente aislados desde la fundación del PSOE, en 1879. El partido había nacido a partir del grupo de tipógrafos madrileños de la Asociación General del Arte de Imprimir. Sus aspiraciones eran la emancipación de la clase trabajadora, la transformación de la propiedad y la conquista del poder. Una línea doctrinal fijada por su líder, Pablo Iglesias, consciente de que, para conseguir sus fines, antes de pensar en la revolución había que trabajar en el fortalecimiento de una organización totalmente independiente. Desde 1886 contaron con una tribuna de prensa propia, *El Socialista*, y dos años más tarde con una central sindical, la Unión General de Trabajadores, que pretendía ser una federación que agrupara a las sociedades obreras de toda España. La estrategia del aislamiento, la hostilidad hacia los anarquistas, su rechazo a colaborar con los «burgueses» republicanos y su lejanía de la realidad agraria limitaron mucho sus posibilidades de crecimiento, tanto en número de agrupaciones y asociados como en votos. En plena guerra de Cuba, la campaña contra la injusticia de las quintas, el «o todos o ninguno», y la movilización contra los excesos de la represión gubernamental inauguraron un nuevo período, el inicio de una organización de masas con aspiraciones parlamentarias y el acercamiento hacia los republicanos. Una lucha por la democratización de las instituciones que iba a formar parte de la historia del siglo xx.

CAPÍTULO 2

LA «REVOLUCIÓN DESDE ARRIBA»

En la primavera de 1902, al alcanzar la mayoría de edad, Alfonso XIII accedió al trono de España después de jurar la Constitución. Era un rey nuevo para un siglo nuevo. Una oportunidad para adaptar el sistema político de la Restauración a los nuevos retos y problemas que planteaba la sociedad, para emprender, un programa de «regeneración» nacional, la palabra en boca de todos, repetida en los salones del Palacio Real, en los pasillos de las Cortes y en el último casino provinciano.

Las elites políticas pretendían, con el concurso de la Corona, encabezar una reforma desde arriba, una movilización nacionalizadora que ampliara las bases sociales del régimen sin poner en peligro su hegemonía. La historia política española entre 1902 y 1917 es la crónica de ese fracaso. Las razones son complejas y diversas, la propia actitud de Alfonso XIII, la crisis de los partidos tradicionales y la inestabilidad de los Gobiernos, entre otras. La oportunidad de los conservadores llegó con Antonio Maura, entre 1904 y 1909; el turno de los liberales respondió al empeño de José Canalejas, una esperanza frustrada con su asesinato en 1912.

A los problemas heredados del siglo XIX, como el clericalismo o el militarismo, se sumaron otros nuevos como la guerra de Marruecos, el nacionalismo catalán, el republicanismo radical o el crecimiento del movimiento obrero organizado. El primer episodio de la crisis del sistema político llegó en 1909, con el eco de la Semana Trágica de Barcelona. A partir de 1913 ya no se pudo hablar de un turno pacífico de los dos grandes partidos dinásticos. Y en los años siguientes, con Gobiernos cada vez más inestables, el impacto político, económico y social de la Gran Guerra llevó al país al verano revolucionario de 1917, un punto de no retorno en el camino hacia la descomposición final del régimen.

Regenerar la nación

El 17 de mayo de 1902, cumplidos los dieciséis años, Alfonso XIII juró la Constitución y asumió sus poderes y responsabilidades como monarca. Su educación, en medio de palaciegos de conocida militancia confesional y militares tradicionales con una concepción castrense de la vida pública, explica en parte sus convicciones católicas, su afición por los uniformes y los desfiles y el agrado con el que representaba su papel de rey-soldado. No era, desde luego, la preparación más adecuada para el jefe de Estado de una monarquía parlamentaria que tenía que afrontar los retos modernizadores del siglo XX. Tampoco las prerrogativas regias parecían las mejores armas para ensanchar las bases sociales del régimen y seguir por el camino de la ciudadanía democrática. Alfonso XIII era el comandante en jefe de las Fuerzas Armadas, su persona era «sagrada e inviolable», irresponsable frente al Parlamento, elegía al presidente del Gobierno, podía nombrar y separar libremente a los ministros, designaba senadores vitalicios, compartía el poder legislativo con las Cortes, a las que convocaba y disolvía, cuidaba de la administración de justicia y dirigía las relaciones diplomáticas. Consciente de sus amplias competencias, pronto mostró su voluntad de no renunciar a ellas, de intervenir en la política como un rey gobernante, no como un monarca relegado a un mero papel de moderación y representación.

El primer problema serio era el de la sucesión de liderazgos, en el Partido Conservador, huérfano desde el asesinato de Cánovas, y también en el Partido Liberal. El fallecimiento de Sagasta, en enero de 1903, significó el fin de una generación. La primera oportunidad de cambio y renovación política la había tenido Francisco Silvela en 1899. Al frente de la Unión Conservadora, supo apartar del poder a las facciones históricas más intransigentes y presentar un gabinete dispuesto a asumir las ansias regeneracionistas de la nación. En esa línea iban iniciativas como el nuevo Ministerio de Instrucción Pública y Bellas Artes o el fomento, desde el Ministerio de Gobernación de Eduardo Dato, de las primeras medidas de reforma social como la limitación de la jornada laboral de las mujeres y los niños, la Ley de Accidentes de Trabajo o los estudios que precedieron a la fundación del Instituto de Reformas Sociales, que no vería la luz hasta 1903. La nota más sobresaliente la puso Fernández Villaverde al frente de Hacienda, capaz de sanear las arcas del Estado y de modernizar la política fiscal creando la Contribución de Utilidades. Pero fue un éxito efímero.

En el verano de 1899, la resistencia al pago de impuestos y las protestas callejeras en Barcelona coincidieron con el cierre de tiendas acordado por las Cámaras de Comercio, dirigidas por Basilio Paraíso, y con la movilización de las Cámaras Agrarias que Joaquín Costa había unido en la Liga Nacional de Productores. En los primeros meses de 1900, ambas organizaciones coincidieron en la Unión Nacional, un organismo dispuesto a plantar cara a la política oficial con un nuevo cierre de comercios y una campaña nacional que promovía la desobediencia fiscal. Pero la clausura de centros, los primeros embargos, la escasez de recursos y la falta de apoyos más amplios terminaron pronto con la revuelta de las llamadas «clases productivas» y con su programa regeneracionista. No había un camino nuevo para la regeneración, un atajo fuera del sistema. Los que quisieran combatir los vicios del régimen tendrían que hacerlo dentro de los partidos tradicionales o buscar un sitio, como hizo Costa, en las filas del republicanismo.

Otras voces de protesta preocupaban más al Gobierno conservador. En las protestas populares de 1899 se produjeron asaltos a colegios de la Compañía de Jesús y daños contra las imágenes del Sagrado Corazón de Jesús, un símbolo cargado de connotaciones antiliberales y reaccionarias. El anticlericalismo volvía al primer plano de la política nacional. No era un fenómeno nuevo, todavía se recordaban las oleadas de motines, quemas de conventos y matanzas de frailes de 1822, 1834 y 1835. El anticlericalismo moderno iba mucho más allá de las críticas populares al enriquecimiento y la inmoralidad del clero, existentes desde la Edad Media. Era un movimiento político de tradición liberal que defendía el proceso de secularización, esto es, la libertad de cultos, la desvinculación de la sociedad civil del dominio eclesiástico y la creación de un Estado laico. En el cambio de siglo, ese movimiento político se manifestó públicamente en España como una reacción frente a los excesos del clericalismo, frente a la resistencia de la jerarquía eclesiástica a perder los privilegios políticos, jurídicos, económicos y sociales que aún mantenía y que había reforzado el carácter confesional de la Constitución de 1876.

Clericalismo y anticlericalismo se conformaron, en la primera década del siglo XX, como dos fenómenos complejos, dinámicos y casi complementarios, que se alimentaron mutuamente. El *Desastre* del 98 proporcionó los primeros motivos para la protesta anticlerical por la actuación de las Órdenes religiosas en Filipinas. Después vinieron las actitudes confesionales de algunos miembros del Gobierno, en el otoño de 1900 las noticias del fallido levantamiento carlista y el anuncio de la boda de la princesa de Asturias con el ultramontano hijo del conde de Caserta, en las primeras semanas de 1901, el proceso del caso Ubao, una joven confinada en un convento sin la autorización paterna, y el revuelo montado alrededor del estreno de *Electra*, la conocida obra teatral de Galdós.

El Partido Liberal justificaba sus actitudes anticlericales como parte de un programa regeneracionista más amplio, como un obstáculo que había que superar para dejar libre el camino hacia la modernización de España. Pero, en el fondo, era también una cuestión de oportunidad política, un recurso con una notable capacidad de movilización social. José Canalejas se convirtió en el líder de ese movimiento. La cuestión religiosa estaba en el Parlamento, en la prensa y en la calle, y los motines aislados se convirtieron en manifestaciones ordenadas y en campañas organizadas que mostraron el éxito de nuevas formas de acción colectiva como los mítines, las asambleas, las giras festivas, el boicot de las demostraciones católicas o los actos de transgresión de los ritos religiosos.

El protagonismo de la protesta anticlerical correspondió al republicanismo radical de base populista, con los ejemplos más claros de Vicente Blasco Ibáñez en Valencia o de Alejandro Lerroux, *el emperador del Paralelo*, en Barcelona. A partir de una amplia red de centros y casinos, y de un discurso exaltado y agresivo, el republicanismo se convirtió en un movimiento de masas capaz de enfrentarse con éxito a los partidos dinásticos en las contiendas electorales locales, de dominar el escenario público, con el recurso constante a las movilizaciones callejeras, y de mantener su hegemonía entre los trabajadores urbanos por lo menos hasta los años de la Gran Guerra. Sin estos precedentes no se pueden entender los sucesos de la Semana Trágica, en 1909, ni la pervivencia de una identidad colectiva anticlerical que, aunque decayó en la segunda década del siglo XX, se mantuvo latente y volvió a resurgir con fuerza en los años de la Segunda República.

En 1901, la consecuencia más visible de la oleada de protestas anticlericales fue la caída de los conservadores y el último regreso al poder de Sagasta, que preparó la llegada al trono de Alfonso XIII. Cuando Sagasta, enfermo y agotado, dimitió en diciembre de 1902, unas semanas antes de su muerte, se abrió la lucha por el liderazgo liberal entre las clientelas agrupadas en torno a figuras históricas como Segismundo Moret, Eugenio Montero Ríos o el general José López Domínguez. La crisis interna de los partidos dinásticos impedía llevar adelante cualquier intento serio de regeneración. Entre diciembre de 1902 y junio de 1905 se sucedieron cinco Gobiernos conservadores: Francisco Silvela, Raimundo Fernández Villaverde, Antonio Maura, Marcelo de Azcárraga y otra vez Fernández Villaverde. Las sesiones de las Cortes, suspendidas seis veces en ese período, sólo estuvieron abiertas en breves períodos, apenas doce meses de actividad parlamentaria. Fue entonces cuando se acuñó la expresión de «crisis oriental» relacionando los cambios de gabinetes y ministerios con las visitas que los líderes políticos hacían al Palacio de Oriente.

El regreso de los liberales al poder no significó una mayor estabilidad gubernamental. Entre junio de 1905 y enero de 1907 el Rey nombró cinco presidentes del Consejo de Ministros: Montero Ríos, Moret, López Domínguez, otra vez Moret y, por último, apenas dos meses, el octogenario marqués de la Vega de Armijo. Todos los líderes liberales tuvieron su oportunidad. Casi podríamos hablar de un turno dentro del turno. Ninguno de los Gobiernos conservadores y liberales de ese período tuvo la fortaleza y la voluntad necesarias para emprender un programa de reformas que pusiera fin al poder arbitrario de la Corona, que acabara con la manipulación electoral sistemática y que transformara los partidos de notables en formaciones modernas de masas que realmente representaran y encauzaran las demandas de la opinión pública. Ninguno salvo, quizá, Antonio Maura.

Maura y la Semana Trágica

Antonio Maura se puede calificar como el político conservador más importante del primer cuarto del siglo XX. La primera oportunidad para poner en práctica sus ideas llegó en las elecciones de 1903, al frente del Ministerio de Gobernación del gabinete de Silvela. Su decisión de no intervenir en la fabricación de los resultados produjo, según algunos autores, una de las consultas menos manipuladas de toda la Restauración. En diciembre de ese año, con unas Cortes de mayoría conservadora, Maura fue nombrado por primera vez presidente del Consejo de Ministros. Su Gobierno sólo duró un año, lo suficiente para mostrar sus intenciones, los mimbres de su proyecto de «revolución desde arriba». La gira de Alfonso XIII por las provincias y su presencia en Barcelona formaron parte del empeño personal de Maura de reforzar la imagen de la Corona y, al mismo tiempo, ensanchar las bases sociales del régimen. En esta línea cabe situar también la política económica proteccionista, que satisfacía a las elites económicas, y las propuestas de reforma social. En la primavera de 1904 se puso en marcha definitivamente el Instituto de Reformas Sociales y se abordaron medidas relacionadas con la protección física y moral de los niños, la inspección de los centros de trabajo, el fomento de las cooperativas o el descanso dominical. Estas iniciativas, como otras relacionadas con la reforma de la administración civil, apenas pudieron sortear los obstáculos de las trabas burocráticas, las dilaciones parlamentarias y la resistencia de los grupos de intereses conservadores.

A la oposición interna se añadían las críticas de liberales y republicanos. Las protestas anticlericales arreciaron por el nombramiento como arzobispo de Valencia de Nozaleda, un fraile procedente de Filipinas, y por la firma de un acuerdo con el Vaticano que reconocía el estatus legal de las Órdenes religiosas presentes en España. Enfrentamientos callejeros entre clericales y anticlericales, motines populares contra los consumos y la carestía de las subsistencias, y una oleada de huelgas hasta entonces desconocida. La UGT pasó de los 14.737 afiliados de 1900, repartidos en 69 asociaciones, a los 56.905 que figuraban en sus actas a comienzos de 1905, representados en 373 entidades locales. El ejemplo de la huelga general de Barcelona de 1902 se repitió en las zonas mineras de Vizcaya en el otoño de 1903 y el movimiento obrero organizado comenzó a extenderse más allá de los límites de las ciudades.

De todas formas, el auge del asociacionismo y la escalada de conflictos laborales comenzaron a declinar en el otoño de 1904, antes de que terminara el Gobierno de Maura. La crisis de trabajo y la carestía de las subsistencias diezmaron las filas de las sociedades obreras y los resultados de las acciones colectivas comenzaron a inclinarse del lado de los patronos y propietarios. El hambre y la miseria en vez de movilizar la protesta lo que hacían era restarle aliento y recursos. El fracaso de la huelga general convocada por los socialistas, en julio de 1905, era la prueba de que el movimiento obrero todavía no era capaz de dar el paso desde las acciones locales a las campañas nacionales.

El final del primer Gabinete de Maura, en diciembre de 1904, fue provocado por Alfonso XIII, empeñado en nombrar al jefe del Estado Mayor en contra del parecer del ministro de la Guerra, un ejemplo más del intervencionismo del joven monarca. En esa ocasión Maura no estaba dispuesto a ceder ante los deseos del Rey y presentó su dimisión. Era un paso atrás para tomar impulso hacia delante. En los meses siguientes, y durante los frágiles Gobiernos liberales que se sucedieron, su figura se fue agrandando paso a paso. Las elecciones de 1907 concedieron al Partido Conservador una clara mayoría absoluta. Antonio Maura disponía, ahora sí, de un bloque unido, sin divisiones de facciones y familias, bien disciplinado alrededor de un líder indiscutible. Era su turno. La oportunidad de un Gobierno largo y estable para hacer el «descuaje» del caciquismo y moralizar la vida política. En los dos años siguientes, hasta el conflictivo verano de 1909, pasaron por el Congreso más de doscientas iniciativas legislativas. Sin abandonar sus sólidas convicciones católicas y monárquicas, Maura estaba convencido de que una reforma gradual, realizada desde un Gobierno fuerte pero respetuoso con las formas parlamentarias —«luz y taquígrafos» fue su famosa expresión—, podía convertir a las «masas neutras» del país, que él creía esencialmente conservadoras, en ciudadanos activos. Para ello había que legitimar las instituciones públicas y acercarlas a la sociedad.

El cuerpo central de su proyecto se basaba en tres reformas básicas: la justicia municipal, el sistema electoral y la administración local. La Ley de Justicia Municipal pretendía dotar de independencia y estabilidad a los jueces municipales y romper por ese flanco el entramado clientelar. El ataque frontal contra el fraude y la corrupción era el propósito de la Ley de Reforma Electoral, que desligaba del poder político la confección de los censos, la composición de las juntas electorales o los dictámenes sobre las actas recurridas y decretaba, entre otras muchas medidas, cuestiones controvertidas como el carácter obligatorio del voto o el famoso artículo 29, que permitía la elección directa en aquellos distritos donde sólo se presentara un candidato. Por último, el «descuaje» de los cimientos del caciquismo se confiaba en la Ley de Administración Local, probablemente la iniciativa más ambiciosa, que ampliaba las competencias de los ayuntamientos y les confería autonomía jurídica y personalidad política independiente.

El segundo frente legislativo del Gobierno «largo» de Maura fue la reforma social, un conjunto de proyectos de tono paternalista que buscaban, sobre todo, disminuir la conflictividad social y el «egoísmo de clase», pero que supusieron, de todas formas, un notable avance en un terreno casi virgen. La creación en 1908 del Instituto Nacional de Previsión, los Tribunales Industriales, los Consejos de Conciliación y Arbitraje, el cuerpo de inspectores laborales o la Ley de Huelgas de abril de 1909 fueron los resultados más sobresalientes de esa política proteccionista y conciliadora. Sin embargo, esa suma de disposiciones no consiguió abrir una vía para la solución pacífica de los conflictos. La verdad es que la sensación final de Maura, cuando la tormenta del verano de 1909 echó abajo su obra, tuvo que ser de frustración. Los proyectos de reorganización del Ejército y de reforma del sistema de reclutamiento se quedaron en el papel, como la Ley de Administración Local, que después de innumerables debates y enmiendas no llegó a ver la luz. Tampoco las reformas electorales cumplieron sus objetivos. El encasillado y el falseamiento siguieron dando sus frutos en los distritos rurales uninominales, que eran la gran mayoría.

El principio del fin llegó en mayo de 1908, cuando Maura presentó en el Congreso la Ley sobre Represión del Terrorismo. El proyecto, que ponía en peligro los derechos de asociación y de expresión, concitó en seguida las críticas de liberales y republicanos, unidos en un «Bloque de Izquierdas». Por primera vez desde el inicio de la Restauración, un partido dinástico, el Liberal, se alejaba del pacto del turno y giraba hacia su izquierda. La campaña propagandística contra el Gobierno, dirigida por el *trust* de la prensa madrileña, *El Imparcial, El Liberal* y *Heraldo de Madrid,* no tenía precedentes en España. Y la movilización no terminó con la retirada del proyecto de ley. Muy al contrario, tomó nuevos bríos cuando empezaron a llegar las noticias de lo que estaba pasando en Marruecos. Las críticas políticas se convirtieron en un clamor general.

La presencia española en el Norte de África había quedado fijada por el acuerdo secreto firmado con Francia en 1904 y por la conferencia de Algeciras de 1906. Un espacio de influencia limitado a la zona montañosa del Rif. El interés de ese territorio estaba motivado, más que por su situación estratégica o sus posibles beneficios económicos, por una cuestión de prestigio nacional, maltrecho desde la pérdida de las colonias. Los altercados y enfrentamientos con las cabilas vecinas, visibles desde 1908, se hicieron más frecuentes en 1909 alrededor de las minas explotadas cerca de Melilla. El 9 de junio, un ataque de los rifeños causó seis muertes y el Gobierno decidió enviar refuerzos a la zona para proteger los intereses españoles. Los socialistas iniciaron una «campaña de agitación» y los mítines organizados en muchas ciudades tenían su eco en la calle con manifestaciones que terminaban en concentraciones delante de los cuarteles y algunos motines en los andenes de las estaciones. El día 12 de julio la llamada a filas de los reservistas, percibida como una doble injusticia, extendió las voces de protesta. A partir del día 14 en el puerto de Barcelona comenzaron los incidentes contra el embarque de tropas, escenas similares a las que se vivieron en las estaciones de Madrid y de otras ciudades.

Las noticias de los primeros combates en el exterior de Melilla demostraban que no se trataba de una rápida operación de castigo. El día 23 el asalto al monte Gugurú terminó con un gran número de bajas, en medio del caos y la confusión general, y el 27 se produjo la masacre de una columna copada en el Barranco del Lobo: 150 muertos en un día, más de 1.000 bajas antes de terminar el mes. El PSOE y la UGT convocaron una huelga general en toda España para el 2 de agosto. Pero los acontecimientos se precipitaron en Barcelona a partir del día 26 de julio. La huelga declarada ese día por Solidaridad Obrera, el sindicato de orientación anarquista creado en 1907, con la participación de socialistas y republicanos, se extendió por toda la ciudad y dio comienzo a una semana de enfrentamientos armados, barricadas, asaltos a tranvías y fielatos de consumos y acciones violentas anticlericales. La responsabilidad del incendio de ochenta edificios religiosos, y de las acciones iconoclastas que se vivieron en algunos de ellos, se atribuyó a grupos de republicanos radicales inspirados por Lerroux. En todo caso, la composición social de los motines, muy heterogénea, demostró la extensión de la identidad anticlerical en la cultura de las clases populares. Cuando el Ejército recuperó el control de todos los barrios de la ciudad, el viernes día 30, comenzó el recuento de los muertos, 104 paisanos y ocho guardias, además de varios centenares de heridos.

Los sucesos de la *Semana Trágica* traspasaron los límites de Barcelona. Las protestas y los enfrentamientos violentos se extendieron casi por una veintena de provincias. La dureza de la represión posterior, con más de un millar de arrestos y procesos militares y 17 penas capitales, ha quedado asociada a un nombre, Francisco Ferrer y Guardia, un ideólogo anarquista, fundador de la Escuela Moderna, que fue uno de los cinco condenados que finalmente fueron ejecutados. Su proceso sumarísimo se convirtió en un suceso de alcance internacional y el clamor de la izquierda europea atizó aún más, dentro de las fronteras nacionales, la campaña del «¡Maura no!». El 13 de octubre tuvo lugar la ejecución del «mártir de Montjuïc». Dos días después abrieron las Cortes y llovieron las críticas contra un Gobierno que ya estaba sentenciado. El 21 de octubre el Rey encargó a Moret la formación de un nuevo Gobierno liberal.

De Canalejas a la Gran Guerra

El cambio de Gobierno no fue la única consecuencia de los graves sucesos de 1909. Los republicanos, los partidos obreros y los sindicatos constataron la capacidad de presión de las multitudes, el poder del dominio de la calle y la posibilidad de emprender movimientos de carácter nacional, una experiencia que no dejarían de aprovechar en el futuro. Las operaciones militares terminaron en enero de 1910, después de asegurar la zona de Melilla, pero el fin de los combates fue sólo un breve paréntesis de tranquilidad en un conflicto, el de la guerra de Marruecos, que iba a marcar la historia de España durante dos décadas. De momento, la paz en el Rif apenas supuso un alivio para el liberal Moret. La brevedad de su Gobierno se debió no tanto a la hostilidad de una parte del Ejército, al boicot de la oposición conservadora o a la amenaza de la conjunción entre republicanos y socialistas, ratificada en noviembre del año anterior, sino a la falta de apoyos dentro de su propio partido. Los jefes de las facciones rivales consiguieron que el Rey, en febrero de 1910, en la llamada crisis del Miércoles de Ceniza, le retirara su confianza y nombrara en su lugar a José Canalejas. Su llegada al poder demostraba lo poco que habían cambiado los partidos políticos dinásticos, más parecidos todavía a las familias de notables y camarillas decimonónicas que a las modernas organizaciones de masas del siglo XX.

Sin embargo, una vez en el poder, Canalejas demostró su voluntad sincera de cambio, su decidido empeño en llevar adelante un programa completo de renovación liberal y reforma social. Y en un sentido muy diferente al intento anterior de Maura. El impulso reformista de Canalejas descansaba en la regeneración social y cultural del pueblo, en el papel del Estado como protagonista de la modernización de la sociedad. Los casi tres años que estuvo al frente del Gobierno, hasta su asesinato en noviembre de 1912, supusieron el intento más serio y esperanzador de abrir una vía hacia la democracia desde el interior del sistema político de la Restauración. José Canalejas y Méndez tenía entonces cincuenta y cinco años y una larga trayectoria política dentro del ala radical del Partido Liberal. Representaba un liberalismo de nuevo cuño que proponía la intervención del Estado en las relaciones sociales y económicas con el fin de mejorar las condiciones de vida de las clases trabajadoras. Una apertura social que, a la larga, permitiría la integración política de los sectores obreros, requisito indispensable para conseguir la democratización del régimen, en el fondo una «República coronada», como él mismo decía mirando hacia el ejemplo británico.

Entre las reformas laborales aprobadas durante el mandato de Canalejas destacaron la ley de la jornada máxima de nueve horas en la minería, la de aprendizaje, la de descanso de las mujeres en establecimientos comerciales o la que reguló el trabajo nocturno femenino. También un número considerable de propuestas sobre contrato de trabajo, negociación colectiva, control de industrias peligrosas o seguridad social obligatoria, la mayoría de ellas todavía en trámites parlamentarios cuando fue asesinado.

Tampoco se llegó a aprobar una de sus propuestas más llamativas, la Ley de Mancomunidades Provinciales, el primer gesto de descentralización estatal, de sensibilidad hacia las demandas de los regionalistas.

A pesar de su fama de agitador anticlerical, Canalejas se mostró conciliador y buscó siempre fórmulas de compromiso entre la preeminencia de la religión católica dictada por la Constitución y una progresiva separación de la Iglesia del Estado. La discusión de la *Ley del Candado*, aprobada a finales de 1910, suscitó en los meses anteriores una oleada de manifestaciones anticlericales, concentraciones católicas, amenazas de grupos tradicionalistas y hasta un conato de ruptura de relaciones diplomáticas con el Vaticano. Pero, en realidad, era una propuesta tímida y de carácter temporal. La ley de mayor calado simbólico, la exención de la enseñanza de la religión para los hijos de padres no católicos, ni siquiera tuvo la firma de Canalejas, fue aprobada por el Gobierno de Romanones en 1913.

Los logros y los límites del programa reformista liberal se reflejaron en las dos leyes más esperadas, la supresión del impuesto de consumos, impopular y vejatorio, y la reforma de las quintas, un sistema odiado por las penosas condiciones del servicio y la pervivencia de la redención a metálico. La primera no consiguió del todo el objetivo que pretendía porque muchos ayuntamientos, ahogados por la falta de recursos propios, prorrogaron durante años el cobro de los consumos. La segunda se quedó también a medias. La Ley del Servicio Militar Obligatorio, aprobada en febrero de 1912, permitía la existencia de soldados de «cuota». Los mozos que se costeaban el equipo y pagaban mil pesetas permanecían solamente diez meses en filas, un período que se reducía a la mitad si la suma entregada ascendía a dos mil pesetas, ocupando siempre, además, los servicios destinados a soldados de primera o distinguidos.

En la primavera de 1911 volvieron las operaciones militares y las protestas en toda España. En la ola de mítines, manifestaciones y huelgas de aquel verano las reivindicaciones de carácter social y económico fueron muchas veces unidas al rechazo a la guerra de Marruecos, una oposición al conflicto bélico que influyó en la convocatoria de huelga general y en el clima casi insurreccional que se vivió en buena parte del país durante el mes de septiembre. El movimiento de protesta comenzó el día 11 con huelgas parciales en Vizcaya, en Asturias y en Málaga que se extendieron a Zaragoza, Valencia y otros puntos de España. Unos días antes se había celebrado el primer congreso de la Confederación Nacional del Trabajo, la CNT, el sindicato de orientación anarquista fundado un año antes en Barcelona sobre las bases de Solidaridad Obrera.

El PSOE y la UGT se sumaron a la huelga general de forma tardía, cuando en muchos puntos los obreros ya habían depuesto su actitud. Los incidentes más graves tuvieron lugar en Cullera, el día 18, donde unos huelguistas mataron a tres funcionarios. La sentencia de muerte dictada para siete de los implicados en los sucesos despertó una campaña de prensa a favor de los condenados que, en el fondo, era un pulso contra el Gobierno y la monarquía constitucional. Alfonso XIII y Canalejas, con el deseo de evitar que se repitiera otro caso Ferrer, lograron conmutar las penas. Pero las medidas represivas fueron especialmente duras con el movimiento obrero organizado. La CNT fue prohibida, las casas del pueblo y los locales de la UGT quedaron clausurados durante meses y se multiplicaron las detenciones. Las huelgas generales, la amenaza de estallidos revolucionarios y el fracaso de las vías de negociación pacífica truncaron las esperanzas de Canalejas de una evolución reformista del movimiento obrero dentro de los cauces del marco constitucional. Él mismo fue una víctima más de ese desencuentro. El 12 de noviembre de 1912 fue asesinado en la Puerta del Sol, frente al escaparate de una librería, por el anarquista Manuel Pardinas, que en realidad tenía pensado atentar contra el Rey.

En los años siguientes se sucedieron en el poder liberales y conservadores, pero ya no hubo un liderazgo que no fuera contestado, ni un Congreso sólido, ni un Gobierno estable que tuviera tiempo y energía para otra cosa que no fuera sortear problemas y conflictos. En enero de 1913 Romanones subió al poder sin el apoyo unánime de los liberales y con la oposición frontal de Maura, que se negó a mantener el sistema del turno. En realidad, los principios ideológicos quedaban al margen cuando lo que estaba en juego era el reparto del poder entre las diversas clientelas, las rivalidades individuales y las disputas de los caciques en pugna por la representación en Madrid de los intereses locales y el reparto de concesiones, favores y prebendas. Lealtades personales, territoriales y también de parentesco.

El conde de Romanones y Eduardo Dato intentaron forjar una mayoría duradera, reconstruir las reglas del juego y la alternancia ordenada. El primero buscó un difícil equilibrio entre el patronazgo de sus partidarios y las clientelas liberales crecidas a la sombra de Santiago Alba, Rafael Gasset, Niceto Alcalá Zamora y Fernando Merino, entre otros. Dato, que alcanzó la presidencia en octubre de 1913, representaba las aspiraciones de los sectores más tradicionales del Partido Conservador, dividido también por las luchas intestinas libradas entre las facciones de Antonio Maura, la de Juan de la Cierva y otros grupos menores. La inestabilidad gubernamental se mostró públicamente por el recurso constante al cierre de las Cortes, una medida excepcional que se convirtió en una costumbre. Durante los dos años del Gobierno de Dato, de octubre de 1913 a diciembre de 1915, la actividad parlamentaria se redujo a seis meses de sesiones, los mismos que mantuvo abierta la Cámara el Gabinete de Romanones que tomó su relevo en el siguiente bienio. Ese vacío legislativo vinculó la suerte del poder ejecutivo, cada vez más, a la confianza de la Corona, a la intervención del Rey, erosionando, de ese modo, la legitimidad del sistema parlamentario.

En el verano de 1914 empezó la Gran Guerra, un conflicto bélico de dimensiones desconocidas. La actitud inicial española no podía ser otra que la neutralidad. Tanto

Dato como Romanones eran conscientes del limitado potencial militar del Ejército y de la posición marginal del país dentro del escenario europeo. Sin embargo, con el paso de los meses, la declaración de neutralidad no libró a España de un intenso debate en la prensa y en la opinión pública. Entre los aliadófilos se contaban casi todos los liberales, con una simpatía comedida hacia Francia y Gran Bretaña que no ocultaban los reformistas, los republicanos e incluso los socialistas. En el lado contrario, el de los germanólifos, estaban los carlistas, los jóvenes mauristas y amplios sectores del Ejército, la Iglesia y la nobleza. El debate se fue agriando y subiendo de tono a partir de 1915 con la incorporación de Italia al bando aliado, con las campañas de propaganda dirigidas y financiadas por las embajadas de las grandes potencias y con los torpedos que los submarinos alemanes lanzaban contra los barcos mercantes españoles. La controversia por la respuesta adecuada a esos ataques provocó la división de los liberales y la crisis final del Gobierno de Romanones, en abril de 1917.

El impacto de la Primera Guerra Mundial en España fue mucho más allá de las disensiones en torno a la política diplomática. La mayoría de la población permaneció ajena a ese debate, preocupada por cuestiones más básicas como las condiciones laborales o la carestía de los alimentos de primera necesidad. Durante el ciclo bélico el auge de la demanda externa generó en la economía española un proceso espectacular de expansión industrial y comercial, con grandes beneficios empresariales. Pero la otra cara de la euforia productiva fue la elevada inflación que provocó un fuerte incremento de los precios de los alimentos, siempre por encima del alza de los salarios. A lo largo de 1916 se repitieron los motines populares contra la carestía del pan y la presión fiscal y también las huelgas y manifestaciones promovidas por el movimiento obrero organizado, decidido a encauzar la indignación popular. A la huelga nacional ferroviaria del verano de 1916 le siguió el acuerdo alcanzado por los dos sindicatos mayoritarios, la UGT y la CNT, para organizar un paro general de veinticuatro horas en toda España. La huelga general del 18 de diciembre fue, sin duda, la mayor movilización social que se había visto hasta entonces en España. En marzo de 1917, unas semanas más tarde del movimiento revolucionario ruso que había conseguido la abdicación del zar Nicolás II, la UGT y la CNT acordaban la convocatoria de una huelga general indefinida antes de tres meses.

CAPÍTULO 3

LA CRISIS DEL RÉGIMEN LIBERAL

La mayoría de los especialistas están de acuerdo, en líneas generales, en el punto de inflexión que supuso la crisis de 1917 para la legitimidad del sistema político de la Restauración. El régimen sobrevivió al envite, pero no fue capaz de emprender las reformas necesarias para ampliar sus bases sociales y políticas y afrontar con éxito una transición ordenada hacia la democracia. Los Gobiernos de esos años fueron débiles e inestables, sostenidos por partidos divididos en facciones y grupos de intereses que ocupaban un Parlamento fragmentado.

No era una tarea sencilla. Al impacto económico y social de la Gran Guerra se sumaron los problemas derivados del corporativismo del Ejército, la deriva autoritaria de la Corona, el recrudecimiento del conflicto colonial marroquí, la intensidad de la movilización sindical y las protestas populares, con el eco de la revolución rusa, las reivindicaciones nacionalistas y la defección de los sectores conservadores, las asociaciones católicas y los grupos patronales, cada vez más proclives hacia soluciones antiparlamentarias. Esa situación se prolongó hasta septiembre de 1923, cuando Miguel Primo de Rivera, el capitán general de Cataluña, declaró el estado de guerra y exigió la entrega del poder sin encontrar apenas oposición.

Verano de 1917

La tormenta política y social del verano de 1917 no empezó con la huelga general. Los primeros que saltaron por encima de la legalidad constitucional fueron los propios encargados de defenderla, los militares. El movimiento de las Juntas de Defensa supuso el regreso del pretorianismo a la vida pública y el principio del fin de la supremacía del poder civil. En la primavera de 1917 se formaron en muchas guarniciones de España Juntas nutridas por oficiales que se sentían agraviados por las dificultades económicas, las medidas gubernativas que pretendían modernizar el Ejército y disminuir el peso excesivo de la oficialidad y la política de ascensos arbitrarios que primaba los méritos de los que servían en Marruecos, los «africanistas». La detención de los líderes de la Junta de Infantería de Barcelona motivó la publicación, el 1 de junio, de un manifiesto en el que los oficiales exigían, además de la liberación de los arrestados, el reconocimiento de las Juntas y la apertura de un proceso de reforma política, una declaración de tonos regeneracionistas que, en el fondo, ocultaba los intereses corporativos que habían guiado la protesta. Los cuerpos de oficiales de la Península amenazaron con desobedecer a sus mandos y, ante el cariz preocupante que tomaba la situación, el capitán general de Cataluña ordenó la liberación de los detenidos. El pulso ganado por los militares insubordinados terminó con la dimisión del Gobierno de García Prieto, el líder liberal que había sustituido a Romanones en abril de ese año.

El nuevo Gobierno conservador, presidido por Dato desde el 9 de junio, decretó la suspensión de las garantías constitucionales y una férrea censura de prensa. Pero no pudo acallar la expectación creada por el movimiento militar y el descontento de la clase política. Al menos eso pensaban los socialistas, que reavivaron sus contactos con los republicanos convencidos de que había llegado el momento de la revolución. El 16 de junio se firmó una Alianza de

Izquierdas que tenía el propósito de encabezar un movimiento general de reforma política. Entre sus demandas estaba la concesión de la soberanía nacional plena, sin la intervención de la Corona, una mayor independencia del poder legislativo respecto del ejecutivo y el inicio de una política descentralizadora que concediera cuotas progresivas de autonomía regional.

El Consejo de Ministros se negó a derogar las medidas excepcionales y, mucho menos, a abrir las Cortes. Desde Barcelona, Cambó lideró el malestar existente y convocó una Asamblea de Parlamentarios para debatir un programa básico que descansaba en dos principios: la formación de un Gobierno provisional y la convocatoria de Cortes Constituyentes a través de unas elecciones limpias. La Asamblea anunciada se celebró el 19 de julio con una asistencia menos numerosa de lo esperado, apenas 70 parlamentarios —regionalistas, reformistas y republicanos— de los más de setecientos que componían las dos cámaras. Pero las fuerzas del orden disolvieron la reunión sin demasiados problemas. De momento, los partidos implicados no parecían decididos a ir más allá en su desafío al Gobierno. Y sin dirigentes políticos conspirando ni jefes militares inquietos en las puertas de los cuarteles, los líderes obreros se quedaron solos delante de la cita contraída con la revolución.

Y a ella acudieron. Más bien, eso sí, arrastrados por los acontecimientos que en cabeza del movimiento. El detonante fue la huelga de ferrocarriles y tranvías declarada en Valencia entre el 16 y el 24 de julio. En los primeros días de agosto los ferroviarios de toda España acordaron ir a la huelga en solidaridad y la dirección conjunta del PSOE y la UGT pensó que no quedaba otro remedio que convocar la huelga general indefinida para el día 13 de agosto. El manifiesto no se diferenciaba mucho del programa reformista de la Asamblea de Parlamentarios: Gobierno provisional, elecciones sinceras y Cortes Constituyentes. El paro fue prácticamente general en Asturias, el País Vasco,

Madrid, las comarcas industriales de Cataluña y del litoral valenciano, las zonas mineras andaluzas y bastantes capitales de provincia. Pero apenas tuvo eco en el resto de las regiones y pasó casi inadvertido en el mundo rural. Además, la pronta detención del comité de huelga dejó al movimiento sin dirección central, sin una estrategia coordinada, y los núcleos más activos quedaron aislados unos de otros, enfrentados a las tropas que se emplearon con contundencia. Después de varios días de enfrentamientos, con un saldo de casi cien muertos y dos millares de obreros detenidos, la mayoría de los huelguistas depusieron su actitud.

Para tranquilidad del Rey, España, de momento, no era una segunda Rusia. De todas formas, el fracaso del movimiento revolucionario del verano de 1917 no significó que el régimen quedara indemne. Las presiones de las Juntas de Defensa derribaron en octubre al Gabinete conservador de Eduardo Dato. El poder civil quedó malparado frente al intervencionismo del Ejército, que contó a partir de ese momento con el respaldo decidido de Alfonso XIII, convencido de que su defensa era la mejor garantía para la supervivencia del trono. Desde esa fecha hasta el golpe de Estado de septiembre de 1923 —en un período de apenas seis años— se celebraron cuatro elecciones generales y se sucedieron en el poder doce presidencias del Consejo de Ministros. Hubo Gobiernos llamados *de concentración*, Gobiernos *nacionales*, Gabinetes de facción sin respaldo mayoritario y también coaliciones multipartidistas. Pero la inestabilidad gubernamental fue la nota dominante. Y las soluciones improvisadas y los acuerdos de urgencia que intentaron recomponer el turno bipartidista no pudieron sortear los obstáculos de la fragmentación del Parlamento, el muro infranqueable de los cacicazgos rurales, las demandas crecientes del nacionalismo catalán y vasco, los reveses de la guerra colonial en Marruecos y la oleada de conflictos sociales y enfrentamientos violentos que se extendió por toda España.

El «trienio bolchevista»

El fracaso de los objetivos políticos propuestos por la huelga general de agosto de 1917 no conllevó la derrota del movimiento obrero. Más bien al contrario, éste demostró una notable capacidad para organizar y encuadrar a los trabajadores de todos los sectores productivos. Un poder social y una influencia política que unos años atrás hubiera sido inimaginable. La movilización social del verano se mantuvo latente gracias a la campaña proamnistía de los presos, que despertó una corriente de simpatía en buena parte de la opinión pública, y al fortalecimiento de las sociedades obreras y los cuadros sindicales, con un rápido ascenso tanto del número de afiliados como de las sociedades constituidas. El telón de fondo era la coyuntura económica de los años de la Gran Guerra, que aceleró los cambios sociales y estructurales que permitían hablar, por primera vez, de una clase obrera extendida a nivel nacional. Y los protagonistas indiscutibles de ese escenario eran los dos grandes sindicatos, la UGT y la CNT.

En la segunda década del siglo XX, la UGT experimentó una profunda transformación. Los cuarenta mil afiliados de 1910 pasaron a ser casi cien mil en 1917 y más de doscientos mil en 1920. Las sociedades de oficios se reagruparon en sindicatos y federaciones de industria y los órganos dirigentes aumentaron su liderazgo, con la figura cada vez más destacada de Largo Caballero. Poco a poco, los conflictos laborales locales perdieron protagonismo frente a las campañas nacionales y las movilizaciones que afectaban a sectores enteros de la industria o los servicios. De esta manera, la UGT se convirtió en un sindicato de masas moderno, bien organizado y jerarquizado, capaz de encauzar las reivindicaciones obreras, coordinar las acciones colectivas de sus afiliados y emprender negociaciones de alto nivel con las asociaciones patronales y con el Estado. Obtuvo un éxito indudable en los núcleos mineros y metalúrgicos del norte y en sectores clave como el de los ferroviarios, pero no fue capaz de implantarse en la región más industrial del país, en Cataluña. Allí fue percibida como una organización lejana y centralista, ajena al mundo del catalanismo popular de raíz federal. En Cataluña, el protagonismo de la representación obrera tenía otras siglas: la CNT.

La Confederación Nacional del Trabajo fue, sin duda, la organización obrera española más importante de las primeras décadas del siglo XX. En la fase inicial de su andadura, entre 1910 y 1911, decía agrupar a 26.000 trabajadores pertenecientes a un centenar largo de sociedades, la mayoría radicadas en Cataluña. Pero fue en el período de la Primera Guerra Mundial, después de varios años de represión y clandestinidad, cuando la CNT se convirtió en un sindicato de masas, con un crecimiento vertiginoso que le llevó de los cien mil afiliados registrados en 1918 a los más de setecientos mil obreros que, según sus cálculos, estaban representados en el congreso celebrado en Madrid, en el Teatro de la Comedia, a finales de 1919. Más de la mitad de los delegados y adheridos procedían de Cataluña, con una implantación también notable en Levante, Andalucía y Aragón y núcleos menores en el resto de las regiones. Destacaron figuras como Ángel Pestaña, Salvador Seguí, Joan Peiró o Manuel Buenacasa, que propagaban las ideas anarquistas y libertarias desde las páginas de *Tierra y Libertad* y *Solidaridad Obrera*, y jóvenes revolucionarios que no rechazaban el activismo armado, como Durruti, Ascaso o García Oliver.

De todas formas, había una diferencia muy clara entre los cuadros de dirigentes y los propagandistas relacionados con los ateneos y la prensa ácrata, que mantenían vivos los planteamientos teóricos y las consignas revolucionarias, y los militantes que realmente se ocupaban de la lucha diaria y la organización interna de las federaciones de oficio y los *sindicatos únicos*, impuestos desde 1918. La gran mayoría de los afiliados eran trabajadores ajenos a los debates doctrinales que pagaban sus cuotas y se sumaban a las protestas laborales porque pensaban que de esa manera podían mejorar sus salarios y sus condiciones de trabajo. En el fondo, las prácticas cotidianas y la cultura política de los cenetistas no se diferenciaban tanto de las de los socialistas.

En una coyuntura de crecimiento general de precios y grandes beneficios empresariales, los trabajadores descubrieron las ventajas de la organización sindical y la presión continuada sobre los patronos para conseguir aumentos salariales y mejoras en sus condiciones de vida. Los empresarios, por su parte, mientras se mantuvo la bonanza económica, se mostraron dispuestos a ceder a las reivindicaciones. Y el éxito de las primeras huelgas, cortas y victoriosas para los trabajadores, animó el espíritu de asociación y reivindicación. Los vientos de la revolución venían desde Rusia, donde los bolcheviques, que habían acabado con la dinastía zarista, se disponían a instaurar un régimen proletario. Juan Díaz del Moral, el notario de Bujalance, definió como «trienio bolchevista» al período más álgido de huelgas y conflictos sociales, que se extendió desde los primeros meses de 1918 hasta finales de 1920. La importancia de ese ciclo de conflictividad social quedó registrada en las estadísticas del Instituto de Reformas Sociales. Las 306 huelgas anotadas en 1917 pasaron a ser 463 en 1918, 895 en 1919 y 1.060 en 1920.

A partir de ese momento se invirtió la tendencia. El final de la guerra en Europa terminó con el espejismo de los beneficios extraordinarios, los precios cayeron y las plantillas de las empresas disminuyeron al tiempo que los salarios se contenían. Las huelgas se endurecieron y empezaron a caer del lado de los propietarios, cada vez mejor asociados, que utilizaron con frecuencia el arma del cierre patronal, el *lockout*. Los Gobiernos de esos años, que legislaron reformas importantes, como la jornada de ocho horas, y que ensayaron fórmulas de conciliación y tímidos intentos de negociación, terminaron recurriendo siempre al empleo abusivo de la Guardia Civil y del Ejército y a la adopción de medidas excepcionales como la declaración del estado de guerra o la suspensión de las garantías constittucionales, en vigor desde 1919 hasta la primavera de 1922.

La ciudad protagonista de esos años conflictivos fue Barcelona. En febrero de 1919 empezó la huelga de La Canadiense, la empresa hidroeléctrica que suministraba el agua y la luz de la ciudad. El centro urbano quedó a oscuras, la vida económica resultó paralizada y la CNT demostró una capacidad de movilización hasta entonces nunca vista. Después de 44 días de paro el conflicto terminó con la victoria de los confederales. Pero el capitán general de Cataluña, el general Milans del Bosch, se negó a poner en libertad a los presos sujetos a la jurisdicción militar. La CNT reaccionó convocando la huelga general. Los planteamientos más contenidos quedaron arrinconados en favor de los grupos de acción más radicales, dispuestos al enfrentamiento violento y las soluciones de fuerza. Los jefes militares, al margen de las autoridades civiles, crearon un clima represivo que tenía como meta la ocupación de las calles, la clausura de los sindicatos, la detención de sus cuadros dirigentes y el bloqueo de cualquier tipo de negociación en connivencia con los propietarios y los sectores del orden. Los empresarios más radicales, al frente de la Federación Patronal de Barcelona, pasaron a la ofensiva y en el otoño decretaron un *lockout* que paralizó la vida comercial e industrial durante tres meses, hasta finales de enero de 1920. Además, financiaron cuerpos de seguridad privada, algunos convertidos en bandas de pistoleros, organizaron asociaciones de obreros no revolucionarios, el denominado Sindicato Libre, de orientación carlista, que declaró la guerra a muerte a los cenetistas, y resucitaron el somatén tradicional para convertirlo en una red de fuerzas vecinales de autodefensa que llegó a contar con más de 60.000 hombres armados.

El período de mayor virulencia coincidió con la llegada del general Severiano Martínez Anido, gobernador civil de Barcelona entre noviembre de 1920 y octubre de 1922, tristemente célebre por la brutalidad de sus medidas represivas. La oleada terrorista, de uno o de otro signo, no cesó hasta el golpe de Estado de Primo de Rivera, con 267 víctimas mortales. Cayeron muchos militantes y dirigentes anarcosindicalistas y un número todavía mayor de patronos, capataces, pistoleros y obreros anticenetistas. Los anarquistas más puros y duros desplazaron a los dirigentes más moderados y fomentaron la guerra social, la acción de los llamados «reyes de la pistola obrera», muchas veces vulgares asesinos y atracadores procedentes de los bajos fondos.

Del desastre de Annual al golpe de Estado

Los Gobiernos que estuvieron al frente de la política española entre 1917 y 1923 tuvieron que afrontar numerosos desafíos, demasiados, quizá, para poder plantear un proyecto político de alguna entidad y dedicarse a otra cosa que no fuera la simple supervivencia del régimen, cada vez más erosionado por el intervencionismo castrense, la conflictividad social, las reclamaciones regionalistas, las críticas antiparlamentarias que llegaban desde la izquierda y la derecha y la propia fragmentación de los partidos dinásticos. El Gobierno de *concentración* de García Prieto duró cuatro meses, justo hasta el día en el que se abrían las Cortes después de unas elecciones, las de febrero de 1918, que habían dejado un Parlamento dividido en facciones. La intervención del Alfonso XIII permitió salir del atolladero con la fórmula de un Gobierno *nacional* encabezado por Maura, con Dato, Romanones, García Prieto, Alba y Cambó sentados a su alrededor como ministros. Una solución de emergencia que despertó las esperanzas de una parte de la opinión pública. Pero la experiencia nacional duró sólo siete meses, hasta que las diferencias internas saltaron encima de la mesa.

Los Gabinetes que vinieron a continuación, sostenidos sólo por un grupo parlamentario, apoyados apenas por una facción, debilitaron aún más el sistema político. Primero el Gobierno liberal de García Prieto, que apenas llegó al mes de vida; luego el de Romanones, de diciembre de 1918 a abril de 1919, que tuvo que afrontar la explosiva situación social creada en Barcelona y la movilización autonomista despertada en Cataluña, en el País Vasco y en Galicia por las expectativas nacionalistas creadas en toda Europa por el final de la Gran Guerra. Demasiados problemas juntos. A Romanones le sucedió Maura durante tres meses, apoyado sólo por el sector más autoritario liderado por De la Cierva. Después llegaron los Gobiernos conservadores de Sánchez de Toca, de julio a diciembre de 1919; de Manuel Allendesalazar, desde esa fecha hasta mayo de 1920, y de Eduardo Dato, el líder teórico del conservadurismo parlamentario, que finalizó de forma trágica el 8 de marzo de 1921, cuando tres anarquistas lo asesinaron en Madrid. Tras el magnicidio, el Rey confió de nuevo en Allendesalazar, el presidente al que tocó acusar el golpe del desastre militar de Annual.

En la primavera de 1921 la actividad de las tropas francesas en Marruecos reavivó los planes españoles de intervención militar. Los Gobiernos conservadores ordenaron al Alto Comisario, el general Dámaso Berenguer, el inicio de operaciones sobre las tribus no sometidas a su autoridad. Los éxitos iniciales animaron al general Fernández Silvestre a emprender una ofensiva desde la comandancia de Melilla hasta Alhucemas. Era una campaña arriesgada por la amplitud del terreno, la escasez de armas y suministros y el desconocimiento del enemigo. Enfrente tenía a Abd-el-Krim, un caudillo de la tribu Beni Urriaguel que había recorrido las montañas de la región para levantar las cabilas y organizar una *harka* contra el dominio español.

El rápido avance de las tropas condujo a Silvestre hasta el campamento de Annual, una posición expuesta que acabó convirtiéndose en una ratonera, un ejercicio de tiro al blanco para los fusiles de los rifeños que disparaban desde las alturas cercanas. El 21 de julio, aislado y sin defensas, el general decidió emprender la retirada, en realidad una fuga precipitada que terminó en el pánico general y el caos más absoluto y que sembró de cadáveres los más de cien kilómetros que distaban hasta los muros de Melilla. La victoria de Abd-el-Krim asombró a todos los observadores. Con apenas 4.000 guerreros llegó casi a exterminar un ejército moderno compuesto por 15.000 soldados. En España, las reacciones no tardaron en llegar, sobre todo cuando se empezó a conocer la envergadura real del desastre, el horror narrado por los soldados supervivientes y la vergüenza de los diez mil cuerpos insepultos, entre ellos el del propio Silvestre, diseminados por los alrededores de Annual, Dar Drius, Monte Arruit, Zeluan o Nador, nombres que quedaron asociados al recuerdo de la tragedia más sangrienta y humillante sufrida por el Ejército español fuera de sus fronteras.

La hostilidad de los sectores populares hacia la guerra de Marruecos, visible desde 1909, estuvo presente desde entonces en las campañas de protesta promovidas por el movimiento obrero, en innumerables mítines y manifestaciones. El número de prófugos era escandaloso: un 11 por ciento en 1910, un 20 por ciento en 1915 y un 17 por ciento en 1920. El debate sobre las responsabilidades del desastre de Annual recorrió el último período del sistema político de la Restauración, y aún estaba pendiente de resolución en septiembre de 1923, cuando llegó el golpe de Estado. En un principio, el Gobierno de Maura se limitó a hablar de responsabilidades militares y para ello encargó un informe oficial al general Picasso, un ejemplo de rigor y eficacia intachables. Pero a finales de octubre de 1921, cuando se abrieron las Cortes, la oposición exigió hablar también de responsabilidades políticas. Las críticas públicas dirigidas al papel desempeñado por el Rey, decidido defensor del intervencionismo colonial, deterioraron notablemente su prestigio y socavaron aún más los cimientos del régimen.

A la izquierda del arco político estaban los socialistas, que después de la derrota de la huelga general de 1917 no habían vuelto a creer en la posibilidad de una reforma del sistema de la Restauración. Esta postura se había visto reforzada tras un debate agotador sobre la naturaleza de la revolución bolchevique y la posible adhesión a la Tercera Internacional. De esa polémica interna nació la escisión de una parte de las Juventudes Socialistas y la creación, en abril de 1920, del Partido Comunista de España. El PSOE y la UGT seguían definiéndose como organizaciones revolucionarias, pero creían que la revolución llegaría por evolución, un fruto madurado por una crisis futura del sistema económico capitalista. El rechazo de los socialistas a colaborar con los partidos burgueses tenía mucho que ver con la deriva de los reformistas de Melquíades Álvarez hacia los aledaños del Partido Liberal y con el decaimiento del republicanismo histórico, que se había quedado con diez escaños en las elecciones de 1920.

El panorama de las fuerzas derechistas y los sectores «de orden» había variado en los años posteriores a la Gran Guerra. Habían ganado espacio y protagonismo nuevas corrientes conservadoras que fueron evolucionando del descrédito del parlamentarismo hacia propuestas cada vez más cercanas a un radicalismo autoritario. Estaban los mauristas, con líderes como José Calvo Sotelo y Antonio Goicoechea, cada vez más escorados hacia la extrema derecha y la defensa del clericalismo, cercanos a las posturas del catolicismo social, un movimiento de reacción contra el laicismo y los peligros de la revolución social con una amplia red asociativa que iba desde las Ligas Católicas y las asociaciones confesionales de jóvenes y damas hasta los círculos de obreros y los sindicatos agrícolas, con un éxito notable entre los pequeños propietarios rurales. En 1920 la Confederación Nacional Católica Agraria contaba oficialmente con 52 federaciones, 5.000 sindicatos y 600.000 asociados.

Estaban también los círculos nobiliarios, las confederaciones patronales y las asociaciones profesionales, todos desencantados con la clase política, proclives a una solución de fuerza de carácter técnico y corporativo, un «cirujano de hierro» que tuviera las manos libres para resolver los problemas del país sin el fárrago inútil del parlamentarismo. También el nacionalismo españolista, que en los años anteriores había movilizado contra los «separatistas» catalanes y vascos a los círculos mercantiles e industriales de varias ciudades, a las diputaciones castellanas y a coaliciones transversales como la Liga de Acción Monárquica creada en el País Vasco y la Unión Monárquica Nacional fundada en Cataluña. Incluso la Lliga Regionalista de Cambó, dispuesta a dejar a un lado sus reivindicaciones políticas. Y, por supuesto, el Ejército. Después de Annual los militares profesionales vivieron obsesionados con el sentimiento de desquite, con una hostilidad profunda hacia el Estado y un desprecio cada vez más público a la supuesta supremacía de las instituciones civiles.

Primero cayó el Gobierno de concentración de Maura, en marzo de 1922, presionado por las exigencias corporativas de las Juntas de Defensa, oficialmente disueltas, pero que seguían actuando con el nombre de Comisiones Informativas. Después, a final de año, dimitió el Gabinete de José Sánchez Guerra, que había impulsado el procesamiento de los militares denunciados en el Expediente Picasso pero no pudo llegar a un acuerdo en el Parlamento sobre el alcance de las responsabilidades políticas. El malestar de los altos mandos aumentó con la llegada al poder de la coalición liberal liderada por García Prieto, sobre todo cuando el ministro de Estado, Santiago Alba, nombró a un civil como Alto Comisario de Marruecos y mostró su intención de recortar gastos y reducir el Ejército. La tensión creció aún más en el verano de 1923. Los combates se intensificaron y aumentó el envío de refuerzos. El 23 de agosto un grupo de reclutas se amotinó en el puerto de Málaga negándose a su traslado a Melilla.

En el verano de 1923 había varias conspiraciones militares en marcha. Una, la más pública, estaba encabezada por el general Aguilera, una segunda se fraguaba alrededor de un grupo de generales cercanos al Palacio Real y al menos otra tercera se preparaba en Barcelona. Allí estaba

Miguel Primo de Rivera, el capitán general de Cataluña. A lo largo de la primavera había visto cómo se recrudecía la violencia social en las calles de Barcelona y aumentaba el número de atentados terroristas sin que el Gobierno le permitiera declarar el estado de guerra. Durante el verano asistió a la convocatoria de la Triple Alianza nacionalista, una iniciativa de Acció Catalana, la escisión radical de la Lliga. El 11 de septiembre, en la conmemoración de la Diada, estuvieron presentes los independentistas catalanes junto a los representantes de la Comunión Nacionalista Vasca y la Irmandade Nazonalista Galega. Toda una provocación antiespañolista. Por si fuera poco, una semana más tarde la Comisión de Responsabilidades del Congreso iba a entregar su informe a la Cámara mientras se esperaba la apertura de las Cortes, prevista para el 1 de octubre. Ya no se abrirían. En las primeras horas del 13 de septiembre Primo de Rivera declaró el estado de guerra en las cuatro provincias catalanas. El golpe de Estado estaba en marcha.

CAPÍTULO 4

LOS AÑOS DE PRIMO DE RIVERA

El 13 de septiembre de 1923 el levantamiento militar de Miguel Primo de Rivera acabó con el Gobierno constitucional. El capitán general de Cataluña accedió al poder con el beneplácito del Rey, el apoyo del Ejército, la adhesión de las organizaciones patronales y católicas y la indiferencia y pasividad de la mayoría de la población. En una primera etapa, hasta la primavera de 1924, el dictador se propuso terminar con rapidez con el desorden público, la amenaza de los nacionalismos, el asunto de las «responsabilidades» del desastre de Marruecos y la lacra del caciquismo.

A partir de ese momento, las medidas excepcionales dictadas a golpe de decreto dieron paso a un proceso de institucionalización. Si el régimen quería perdurar tenía que conseguir un apoyo social amplio, el objetivo del somatén y la Unión Patriótica. En 1925 el Directorio Militar dejó paso a un Gobierno de carácter civil que impulsó reformas administrativas y sociales. En el verano de 1926 se puso en marcha la creación de un Parlamento corporativo, la Asamblea Nacional, que abrió sus puertas un año más tarde con el encargo de redactar un nuevo texto constitucional.

Pero era demasiado tarde. Desde finales de 1928 Primo de Rivera fue perdiendo apoyos. La oposición de una parte del Ejército, la rebelión estudiantil, la sucesión de complots y conspiraciones, la desafección de las asociaciones patronales y de la UGT, el distanciamiento del Rey y la organización de la oposición política en torno al republicanismo provocaron la descomposición del régimen y el aislamiento del dictador, que tuvo que dimitir en enero de 1930. Alfonso XIII albergaba la esperanza de volver a la situación anterior como si nada hubiera pasado. No sabía que la suerte de la Monarquía iba unida a la de la dictadura que había consentido y aprobado.

El brazo militar

El movimiento castrense de septiembre de 1923 fue la primera intervención corporativa del Ejército que planeaba la construcción de un régimen militar. Miguel Primo de Rivera tenía entonces cincuenta y tres años. Su carrera profesional estaba marcada por las raíces militares y aristocráticas de su familia y por los méritos de guerra alcanzados en los conflictos coloniales. En las horas cruciales del 13 al 14 de septiembre la sublevación se vio claramente favorecida por la abstención del grueso del Ejército, la debilidad del Gobierno, confuso y vacilante, la pasividad de la opinión pública y, sobre todo, por los pasos seguidos por el Rey. Primero, su retraso deliberado a la hora de volver de San Sebastián a Madrid; luego su decisión, en la mañana del día 14, de consultar con sus asesores militares antes de tomar una determinación, lo que provocó la dimisión de García Prieto, y, finalmente, la entrega voluntaria del poder a Primo de Rivera.

Apenas hubo reacciones de protesta. Era de esperar la adhesión unánime de las organizaciones patronales, las Cámaras de Comercio e Industria, las asociaciones de agricultores y los sectores católicos. Pero no el silencio de los partidos dinásticos y la pasividad de los republicanos, expectantes sobre las verdaderas intenciones de la rebelión. El PSOE y la UGT pidieron tranquilidad a sus afiliados y les recomendaron que no participaran en «movimientos estériles» como los tímidos conatos de protesta promovidos por la CNT y los comunistas. Primo de Rivera había amenazado con el uso de la fuerza contra cualquier intento de oposición. Pero no hizo falta.

La declaración del estado de guerra, el 14 de septiembre, se mantuvo vigente en toda España hasta el 15 de mayo de 1925. El Directorio Militar quedó constituido por ocho generales y un contralmirante que, en realidad, no tenían atribuciones. Primo de Rivera ejercía todo el poder como «ministro único», auxiliado por Severiano Martínez Anido como subsecretario de Gobernación y por otro general, Miguel Arlegui, como director general de Orden Público. Los delitos contra la seguridad y la unidad de la patria quedaron sometidos a los tribunales castrenses, se suspendieron las garantías constitucionales y se implantó una severa censura de prensa que prohibía las críticas al Gobierno y a la Iglesia, las noticias sobre conflictos sociales y los comentarios sobre los fallos judiciales o la situación del Ejército en Marruecos.

Las medidas represivas fueron implacables con los anarcosindicalistas y los comunistas. La mayoría de los centros de la CNT fueron registrados y clausurados y sus dirigentes sufrieron detenciones arbitrarias y destierros. Otro tanto puede decirse de los partidos nacionalistas. El Real Decreto de 18 de septiembre ordenó la persecución del separatismo. No se podía izar ninguna bandera que no fuese la española; en los actos oficiales, las placas de las calles y los anuncios comerciales la única lengua sería el castellano, igual que en las escuelas o en las celebraciones litúrgicas. En el País Vasco el PNV quedó fuera de la ley y cerraron sus puertas todos los *batzokis*. En Cataluña la represión se dirigió fundamentalmente contra Estat Català y Acció Catalana, que pasaron a la clandestinidad.

El centralismo del Directorio Militar se construyó a golpe de decreto. El 20 de septiembre de 1923 los gobernadores civiles fueron sustituidos por los militares. Diez días más tarde se disolvieron los más de nueve mil ayuntamientos de España, ocupados desde entonces por vocales asociados, elegidos de entre los mayores contribuyentes.

En enero de 1924 les llegó el turno a las diputaciones provinciales, que dejaron sus competencias en manos de gestoras. Todas estas medidas se explicaban como parte de un programa regeneracionista que pretendía el «descuaje» del caciquismo, la demolición de la «vieja política» y la limpieza de los vicios y corruptelas de la Administración. En el fondo, la campaña de moralización administrativa era una fachada que escondía la progresiva institucionalización del control militar de la sociedad civil.

La prueba más evidente fue la creación de la figura de los delegados gubernativos. Eran jefes o capitanes del Ejército, uno por cada partido judicial, encargados de vigilar la marcha de los ayuntamientos e intervenir en los problemas locales. Una de sus misiones era el estímulo de los somatenes locales, uno de los empeños personales de Primo de Rivera y una de sus primeras iniciativas. El Real Decreto de 17 de septiembre de 1923 extendió por toda España el somatén, una institución tradicional catalana que había servido para movilizar a las «gentes de orden» en los años duros del pistolerismo. Se trataba de una milicia armada que en momentos determinados podía utilizarse como fuerza auxiliar para los cuerpos de seguridad, como núcleo de reunión para los ciudadanos «sanos» dispuestos a colaborar con las autoridades del régimen. En la primavera de 1924 había en España más de cien mil somatenistas, un número que fue aumentando progresivamente hasta llegar a doblarse en 1928, cuando empezó su declive. El somatén no logró el apoyo popular esperado y quedó relegado a ejercer labores marginales de vigilancia y policía y a participar en los desfiles y ceremonias oficiales como una nota casi folclórica.

El proceso de institucionalización del régimen tomó impulso en la primavera de 1924. En marzo se creó el Consejo de Economía Nacional, un organismo corporativo encargado de canalizar los intereses de los grupos de presión, regular las medidas de protección de la economía nacional y sentar las bases de una política intervencionista de tono paternal. La política social quedó en manos del subsecretario de Trabajo, Eduardo Aunós, antiguo diputado de la Lliga, que impulsó el Consejo Superior de Trabajo, Comercio e Industria y acabó integrando el Instituto de Reformas Sociales dentro del Ministerio de Trabajo. Se trataba de regular las relaciones laborales y desarrollar la legislación social por medio de organizaciones de arbitraje y comités paritarios de obreros y patronos.

La reforma de la Administración local y provincial llevó la firma de José Calvo Sotelo, un joven abogado que procedía de las filas mauristas. El 8 de abril se promulgó el Estatuto Municipal, un adelanto del Estatuto Provincial aprobado un año más tarde. Los ayuntamientos y las diputaciones lograron mayor autonomía financiera y capacidad de gestión, lo que les permitió mejorar sus servicios y promover infraestructuras y planes de urbanización. De todas formas, como no se llegaron a celebrar elecciones el nombramiento de los diputados provinciales y concejales de elección popular quedó en manos de los gobernadores civiles, con un control absoluto de la vida política provincial y municipal.

El 5 de abril de 1924, después de siete meses de gobierno castrense exclusivo, el Directorio anunció la progresiva separación de los cargos de gobernador civil y gobernador militar. La dictadura se había asentado en el poder, no había problemas graves de orden público y, además, el propio régimen estaba gestando una organización política capaz de suministrar los hombres necesarios para completar una Administración civil: la Unión Patriótica. Durante su primer año de existencia no llegó a contar con una estructura nacional pero muy pronto los nuevos ayuntamientos y los gobiernos civiles desmilitarizados comenzaron a nutrirse de «upetistas» procedentes de los comités y juntas locales de la Unión Patriótica. En el verano de 1924 la organización decía contar con casi dos millones de afiliados, un bastión levantado en defensa del orden, la propiedad y la autoridad que aseguraba la continuidad de la dictadura.

Quedaba pendiente el problema de Marruecos. La situación del conflicto colonial apenas había variado desde entonces. Más bien se podía decir que había empeorado. Crecido por sus éxitos, Abd-el-Krim se decidió a atacar el norte del protectorado francés, llegando hasta las cercanías de Fez. Ese atrevimiento le iba a costar muy caro. Las autoridades galas respondieron con el envío de refuerzos y el inicio de conversaciones con España para negociar las condiciones de una campaña militar conjunta. Los acontecimientos obligaron a Primo de Rivera, indeciso hasta entonces, a abandonar su política de reducción de fuerzas y contención del gasto militar. En julio de 1925, las dos potencias europeas firmaron un acuerdo de cooperación militar que establecía una ofensiva de las tropas francesas paralela al desembarco español en la bahía de Alhucemas. El 8 de septiembre las unidades españolas tomaron la playa de La Cebadilla e iniciaron un rápido avance hacia el interior. El 2 de octubre conquistaron Axdir, la capital de Abd-el-Krim, y una semana más tarde se encontraban con las columnas francesas en el zoco de Telata. Las tribus rebeldes se rindieron una tras otra y la recién nacida «República del Rif» se vino abajo como un castillo de naipes. Aunque las operaciones militares continuaron hasta el verano de 1927, cuando se consiguió la pacificación total del protectorado, a finales de 1925 Primo de Rivera podía presumir de la victoria y disfrutar, seguramente, del momento de mayor prestigio y popularidad.

Directorio Civil

El 3 de diciembre de 1925 Primo de Rivera recuperó la figura del Consejo de Ministros y nombró un gabinete civil que se mantuvo, casi sin cambios, hasta enero de 1930. El cambio respondía al deseo del dictador de retirar al Ejército a un segundo plano y situar en los puestos principales de la Administración a políticos capaces de abordar los problemas económicos. Entre los miembros del Gobierno destacaban Eduardo Aunós y José Calvo Sotelo, ahora situados en las carteras de Trabajo y Hacienda, y un ingeniero de notable prestigio, el conde de Guadalhorce, al frente de Fomento. Bien relacionados con los sectores industriales, financieros y agrarios, dirigían los tres departamentos que debían impulsar el desarrollo económico, la inversión pública y las reformas sociales necesarias para afianzar el régimen.

Pero el poder ejecutivo siguió en manos de Primo de Rivera, que lo ejerció de una manera absoluta. Los problemas políticos no pasaban por el Consejo de Ministros, los resolvía directamente el dictador o su mano derecha, el general Martínez Anido, que controlaba el orden público y nombraba a los gobernadores civiles. En el Consejo había otros dos altos mandos militares, el ministro de la Guerra y el de Marina, cuyas jurisdicciones eran las únicas que tenían competencia para todos los delitos relacionados con la seguridad interior, incluidos los robos y otros delitos comunes. Ese Gobierno de fuerte impronta castrense asumía los poderes ejecutivo y legislativo de manera ilimitada y controlaba totalmente el poder judicial. Los ciudadanos estaban completamente indefensos, sin derechos cívicos ni garantías constitucionales.

De todas formas, un régimen que aspiraba a perdurar en el tiempo y a romper definitivamente con el sistema parlamentario liberal necesitaba una salida política, una fachada legal que le diera legitimidad y respaldo social. La idea de un Parlamento corporativo tomó fuerza en el verano de 1926. En septiembre, coincidiendo con el tercer aniversario del golpe de Estado, se celebró un plebiscito nacional que permitió el voto a los hombres y mujeres mayores de dieciocho años. Al final, con notables irregularidades —que no eran una sorpresa para nadie, ni una novedad—, las autoridades consiguieron la firma de siete de los trece millones españoles que tenían derecho al sufragio.

El paso siguiente, vencidas las reticencias del Rey, fue la preparación de una Asamblea Nacional. Se trataba de un órgano consultivo de representación de intereses formado por altos cargos del Estado, el Ejército, la Iglesia y la Justicia, delegados de los municipios, las diputaciones y las organizaciones provinciales de la Unión Patriótica y, por último, representantes del mundo académico, los sectores productivos y las asociaciones patronales y sindicales. Desde el momento de su apertura, en septiembre de 1927, el control gubernamental de la Asamblea fue absoluto, tanto en el nombramiento de sus miembros como en el funcionamiento interno de la cámara, el orden de las sesiones y el contenido de los debates.

El Directorio encargó a la Asamblea la elaboración de un anteproyecto de Constitución. El texto no fue entregado al Gobierno hasta la primavera de 1928, las leyes complementarias tardaron todavía un año y la redacción definitiva no se hizo pública hasta julio de 1929. El proyecto aprobado unía los caracteres corporativos y organicistas de la dictadura con los principios tradicionales del liberalismo doctrinario: unidad indisoluble de la patria, Estado confesional, soberanía compartida de las Cortes con el Rey, que era el jefe del ejecutivo, poderes extraordinarios para la defensa del orden social, cámara única compuesta por mitades entre los representantes de las corporaciones y los designados por sufragio directo y amplias atribuciones para un Consejo del Reino formado por representantes de la nobleza y las altas jerarquías del Estado, la Iglesia y el Ejército.

Pero era demasiado tarde. En el verano de 1929 Primo de Rivera había perdido buena parte del crédito con el que había iniciado el Directorio Civil. Ni el Rey ni el Ejército, sus dos baluartes más firmes, le prestaban un apoyo incondicional. El fracaso de la Unión Patriótica y del somatén no era un secreto para nadie y crecía el número de opositores dispuestos a conspirar para terminar con la dictadura.

La imagen exterior del régimen parecía indicar lo contrario. En junio de 1929 se había reunido en Madrid el Consejo de Seguridad de la Sociedad de Naciones y un mes antes habían abierto sus puertas la Exposición Iberoamericana de Sevilla, exponente del hispanoamericanismo espiritual y cultural impulsado por el dictador, y la Exposición Internacional de Barcelona, una muestra del progreso económico y técnico de la época.

El país no se había quedado al margen del ciclo internacional de bonanza económica. La industria española creció a un ritmo superior al 5 por ciento anual, favorecida por el fomento de la producción nacional y la restricción de la competencia. Los sectores más activos, la siderurgia, la construcción, el cemento y la química, se vieron impulsados por el proceso acelerado de urbanización, la extensión de la electrificación, las necesidades de equipamiento de las empresas, la llegada de capitales extranjeros y el incremento de las exportaciones. Fueron años de diversificación industrial y concentración empresarial, con el apoyo estatal para la creación de oligopolios y monopolios, como la Compañía Arrendataria del Monopolio de Petróleos, S. A. (CAMPSA) o la Compañía Telefónica Nacional de España (CTNE). Años también de modernización de infraestructuras, visible en el crecimiento del trazado radial de la red viaria y ferroviaria, en la Ley de Puertos y en la creación de las Confederaciones Hidrográficas.

Y aunque las condiciones de trabajo de los obreros no mejoraron sustancialmente puede decirse que los asalariados, en general, percibieron una mayor sensación de seguridad y bienestar gracias a los altos niveles de empleo, la estabilidad de los precios de los alimentos básicos y la mejora de las relaciones laborales. Ello fue posible por las medidas de protección social (casas baratas, retiro obrero, protección de emigrantes, servicios sanitarios y descanso dominical, entre otras) y por una legislación laboral paternalista. En agosto de 1926 se promulgó el Código del Trabajo, que regulaba los contratos industriales y agrícolas, y en noviembre de ese mismo año nació la Organización Nacional Corporativa, el ámbito de actuación de los Comités Paritarios de obreros y patronos, los Consejos de Corporación, que constituían la representación nacional de cada oficio, y el Consejo Superior del Trabajo, un órgano consultivo del Ministerio.

El sindicato socialista se benefició claramente de su estrategia legalista llegando a copar la mayor parte de los puestos de representación obrera. Largo Caballero fue vocal del Consejo de Estado, la UGT aumentó el número de secciones adheridas y el total de afiliados, alcanzando la cifra de 235.000 en 1928. De todas formas, la colaboración tenía sus límites. Los socialistas se negaron a participar en la Asamblea Nacional y a partir de 1928 comenzaron a distanciarse del régimen. En agosto de 1929 las directivas del PSOE y la UGT firmaron un manifiesto conjunto de rechazo a la dictadura.

Hasta entonces, los intentos de acabar con el régimen se habían solucionado con simples operaciones de policía. Primero fue la intentona anarquista de Vera de Bidasoa, en noviembre de 1924, una incursión desde Francia protagonizada por varios centenares de militantes armados, dispersados después de un tiroteo con la Guardia Civil y los carabineros. Fue el inicio de una estrategia insurreccional que se mantendría a lo largo de toda una década. La clausura de los centros de la CNT y la prohibición de su acción sindical abrieron el camino para el predominio de los anarquistas «puros», partidarios de la «acción directa» y de la «gimnasia revolucionaria». En julio de 1927 los grupos ácratas más radicales fundaron en Valencia la Federación Anarquista Ibérica (FAI), una organización libertaria que pretendía ser la vanguardia de la CNT, dispuesta a convertirse en el núcleo director de la insurrección contra la dictadura. También siguieron esa vía los catalanistas de Estat Català, liderados por Macià, que en noviembre de 1926 intentaron penetrar por Prats de Molló con el propósito, fallido, de iniciar una subversión en cadena.

Otro complot insurreccional de mayor altura había tenido lugar en Valencia en junio de 1926, la *Sanjuanada*. Se trató de una conspiración cívico-militar encabezada por los generales Aguilera y Weyler, y por los antiguos presidentes de las cámaras parlamentarias, Melquíades Álvarez y el conde de Romanones. La idea era nombrar un Gobierno provisional encargado de regresar a la situación existente en España antes del golpe de septiembre de 1923. El pronunciamiento se desbarató antes de tiempo por las discrepancias entre los militares conjurados y las filtraciones que habían llegado a la prensa y a la policía.

Las cosas empezaron a cambiar muy poco tiempo después. El 4 de septiembre de 1926, los jefes y oficiales del Cuerpo de Artillería realizaron un plante colectivo y se encerraron en sus cuarteles. Su protesta tenía que ver con la antigua disputa entre «junteros» y «africanistas». Primo de Rivera reaccionó ordenando la disolución del Cuerpo de Artillería, el control de sus acuartelamientos, la suspensión de empleo y sueldo de un millar largo de jefes y oficiales y el establecimiento de la ley marcial en toda España. Unos meses más tarde los sancionados volvieron a sus puestos y el dictador trató de recuperar la unidad del Ejército con medidas conciliatorias. Pero las heridas abiertas no se cerraron y el número de militares descontentos fue creciendo en medio de rencillas, frustraciones personales y fricciones internas entre jefes, oficiales y Cuerpos.

Otro conflicto inesperado para el dictador fue el que nació de las aulas universitarias. La Universidad española pasó de acoger menos de 20.000 alumnos en 1922 a los casi 60.000 matriculados en 1929. Las primeras protestas estudiantiles, surgidas en la primavera de 1925, tomaron cuerpo a fines de 1926 cuando se fundó la Federación Universitaria Escolar (FUE), creada para contrarrestar la hegemonía de las asociaciones católicas. A partir de marzo de 1928, con la huelga convocada como protesta por la destitución del catedrático Luis Jiménez de Asúa, las demandas de carácter académico y profesional se transformaron en movilizaciones de oposición contra el régimen. En marzo de 1929, después de una oleada de asambleas, huelgas y manifestaciones, Primo de Rivera ordenó la ocupación militar de los centros, la pérdida de matrícula de los huelguistas y la clausura de varias universidades, entre ellas la Central de Madrid y la de Barcelona. La rebeldía juvenil no cesó hasta el final de la dictadura, espoleando la protesta de los intelectuales y los movimientos de resistencia contra el régimen, cada vez más identificados con la causa de la democracia y la República.

El republicanismo, desorientado y dividido desde el golpe de Estado, encontró a finales de 1926 un denominador común bajo las siglas de la Alianza Republicana, una agrupación que unió las fuerzas de los radicales de Lerroux, los republicanos catalanes liderados por Marcelino Domingo y los sectores más reformistas, como Acción Republicana, el grupo impulsado por intelectuales como Azaña y Pérez de Ayala. Los republicanos colaboraron de manera activa en la conspiración cívico-militar encabezada por José Sánchez Guerra en enero de 1929. Desde su exilio voluntario en París, el político conservador trató de unir en un solo movimiento a monárquicos, republicanos y militares descontentos con el dictador. Pero el día 29, cuando Sánchez Guerra llegó a Valencia, el movimiento insurreccional había quedado abortado por la sublevación precipitada, unas horas antes, del Cuartel de Artillería de Ciudad Real.

Primo de Rivera quedó a salvo, una vez más, de los intentos de derrocar su régimen. Pero la soledad del dictador era cada vez más evidente. Alfonso XIII le había retirado su confianza y maniobraba, sin éxito, intentando encontrar apoyos que le permitieran volver a la situación anterior al golpe de Estado. A mediados de 1929 la situación económica se había deteriorado notablemente, el número de huelgas aumentaba mes a mes y el Directorio respondía al auge de la conflictividad social con medidas represivas como las detenciones arbitrarias y la clausura de los centros obreros. Por otro lado, las asociaciones de propietarios rurales, los sindicatos católicos y las organizaciones patronales, opuestos al desarrollo de los Comités Paritarios agrícolas, a las leyes de arbitraje laboral y a los proyectos de reforma fiscal de Calvo Sotelo, se olvidaban de la adhesión incondicional brindada en 1923 y se desligaban del régimen. El sueño de un Estado autoritario corporativo se desvanecía. El somatén y la Unión Patriótica, en vez de ser las organizaciones de masas esperadas, se acabaron convirtiendo en refugio de caciques y arribistas y sus militantes más activos actuaban como si formaran un cuerpo parapolicial de auxilio en las tareas represivas.

En las últimas semanas de 1929, Primo de Rivera, desengañado y cada vez más debilitado, enfermo de diabetes, confesó a sus ministros su intención de dejar el poder en manos de un Gobierno de transición. En enero de 1930, en medio de insistentes rumores de un complot militar, Primo de Rivera volvió su mirada al Ejército, el único sostén real de su régimen. Dejando a un lado al Rey, realizó una consulta a los capitanes generales, una especie de moción de confianza. El apoyo que recibió de Sanjurjo fue una nota aislada entre la inhibición y la ambigüedad de la mayoría. Ya no le quedaba otra cosa que hacer que acudir al Palacio Real a presentar su dimisión, lo que hizo el día 27, y salir del país. Murió en París dos meses después. Alfonso XIII, mientras tanto, desoyó las voces que clamaban por la convocatoria de Cortes Constituyentes y nombró al general Berenguer como presidente del Gobierno con la esperanza vana de cerrar un paréntesis, como si no hubiera pasado nada y se pudiera recuperar la «normalidad» política anterior a 1923.

LA SEGUNDA REPÚBLICA

CAPÍTULO 5

UNA REPÚBLICA PARLAMENTARIA Y CONSTITUCIONAL

Las elecciones municipales del 12 de abril de 1931 se convirtieron en un plebiscito entre Monarquía y República. Los republicanos ganaron en la mayoría de las capitales de provincia y el rey Alfonso XIII se vio obligado a abandonar España. Lo hizo desde Cartagena y cuando llegó a París declaró que la República era «una tormenta que pasará rápidamente». Tardó en pasar, sin embargo, más de lo que el destronado Rey pensaba, o deseaba. Cinco años duró esa República en paz, antes de que una sublevación militar y una guerra la destruyeran por las armas.

En los dos primeros años de República, los Gobiernos de coalición de republicanos y socialistas emprendieron reformas políticas profundas que afectaron al Estado, a la Iglesia, al Ejército y a casi todos los sectores de la sociedad. Esas reformas abrieron un abismo entre la Iglesia y el Estado, los propietarios y los trabajadores, los defensores del orden tradicional y los que apoyaban a la República. Hubo casi desde el principio serios problemas de orden público, múltiples protestas, insurrecciones campesinas y ruido de sables, incluido el primer intento de golpe militar contra la legalidad republicana. La mezcla de grandes expectativas, reformas, conflictos y resistencias marcó la evolución de la República durante esos dos primeros años.

Vientos de cambio

Tras la caída de la dictadura del general Miguel Primo de Rivera, el 26 de enero de 1930, la hostilidad frente a la Monarquía se extendió como un huracán imparable por mítines y manifestaciones por toda España. La desconfianza de muchos monárquicos hacia Alfonso XIII provocó la desbandada de ex ministros y políticos de relieve, un súbito proceso de politización y un auge del republicanismo, que hasta ese momento se había mantenido débil, incapaz de romper los controles del caciquismo e ineficaz para plantear verdaderas alternativas. Varios sectores republicanos se habían integrado en una Alianza Republicana ya en 1926, orientada por el veterano Partido Radical de Alejandro Lerroux y por un nuevo grupo, Acción Republicana, dirigido por Manuel Azaña, que había roto con los reformistas de Melquíades Álvarez en 1923. La zona más a la izquierda de ese nuevo republicanismo la ocupó el Partido Republicano Radical Socialista, fundado en 1929 por Marcelino Domingo y Álvaro de Albornoz, disidentes de la Alianza Republicana. La más conservadora fue cubierta por la Derecha Liberal Republicana, creada en julio de 1930 por los recién llegados Alcalá Zamora y Miguel Maura. Todos juntos, pese a sus notables diferencias, ideológicas y de principios, formaron una amplia coalición republicana plasmada el 17 de agosto de 1930 en San Sebastián.

Del llamado Pacto de San Sebastián surgió el comité revolucionario que selló el compromiso de encauzar las reivindicaciones autonómicas de los catalanes, de preparar la insurrección contra la Monarquía y de traer la República. Unos meses después, la conjunción de republicanos y socialistas intentó destruir a la Monarquía por la fuerza, aunque con escasa preparación y menos medios. La insurrección militar estaba organizada por el comité revolucionario y debía ser apoyada en las calles por una huelga general de las organizaciones obreras. Los encargados de ejecutar el plan, los capitanes Fermín Galán y Ángel García

Hernández, sublevaron a la tropa en Jaca, en la provincia de Huesca, en la madrugada del 12 de diciembre de 1930, tres días antes de lo previsto. La insurrección fracasó y el domingo 14 de diciembre, en consejo de guerra sumarísimo, fueron condenados a muerte, y fusilados, sus dos principales cabecillas. La República, antes de nacer, ya tenía a sus primeros mártires y sobre el rey Alfonso XIII recayó la responsabilidad de no haber utilizado la gracia del indulto.

No sería una insurrección la que finalmente traería la República. Tampoco el retorno a la normalidad constitucional que proponía el Gobierno del general Dámaso Berenguer daba frutos concretos. Berenguer se quedó solo, abandonado incluso por miembros de su Gabinete muy leales al Rey, como el conde de Romanones, y dimitió el 13 de febrero de 1931. Lo sustituyó, tras varios intentos frustrados de apertura por parte del Rey hacia sectores liberales, el almirante Juan Bautista Aznar, que formó otro Gobierno fiel a la Monarquía. Sólo tuvo tiempo de convocar elecciones municipales para el 12 de abril porque dos meses después ni existía ese Gobierno ni la Monarquía.

La convocatoria de elecciones cogió a la derecha conservadora y liberal, a los partidos de siempre, desorganizados y desorientados, y a la extrema derecha, a los fieles al dictador caído, en proceso de rearme y sin capacidad para movilizar todavía a las fuerzas contrarrevolucionarias. Era la hora de los republicanos, la hora de la política en la calle, de la propaganda, de mítines e incitaciones a convertir la jornada electoral del 12 de abril en un plebiscito entre Monarquía o República. Así fue. Los republicanos vencieron en la mayoría de las capitales de provincia, en 41 de 50. Aznar dimitió la noche del 13. Al día siguiente, muchos municipios proclamaron la República. Alcalá Zamora, presidente del comité revolucionario, exigió al Rey que abandonara el país.

La República llegó con celebraciones populares. La multitud se echó a la calle, como puede comprobarse en la prensa, en las fotografías de la época, en los numerosos testimonios de contemporáneos que quisieron dejar constancia de aquel gran cambio que tenía algo de mágico, que llegaba de forma pacífica, sin sangre. El comité revolucionario no aguardó al traspaso de poderes y sus miembros se convirtieron, como consecuencia del resultado electoral y de la presión popular, en Gobierno provisional de la República. Era la tarde del 14 de abril. Niceto Alcalá Zamora salió al balcón del Ministerio de Gobernación y, en un mensaje transmitido por radio, proclamó oficialmente la República.

El Gobierno lo presidía Alcalá Zamora, ex monárquico, católico y hombre de orden, una pieza clave para mantener el posible y necesario apoyo al nuevo régimen de los republicanos más moderados. Había, además del Presidente, once ministros, entre quienes destacaban Alejandro Lerroux, el viejo «Emperador del Paralelo», líder del principal partido republicano, el Radical, y Manuel Azaña, que encabezaba la representación de los republicanos de izquierda y que ocupó el Ministerio de Guerra. Por primera vez en la historia de España, entraron a formar parte también del Gobierno de la nación los socialistas, con tres ministros: Fernando de los Ríos, en Justicia; Indalecio Prieto, en Hacienda, y Francisco Largo Caballero, en el Ministerio de Trabajo.

Lo que hizo ese Gobierno en las primeras semanas, todavía con la resaca de la fiesta popular, fue legislar a golpe de decreto. Difícil es imaginar, en efecto, un Gobierno con más planes de reformas políticas y sociales. Antes de la inauguración de las Cortes Constituyentes, en julio de ese año, el Gobierno provisional puso en práctica una Ley de Reforma Militar, obra de Manuel Azaña, y una serie de decretos básicos de Francisco Largo Caballero, que tenían como objetivo modificar radicalmente las relaciones laborales. Tal proyecto reformista encarnaba, en conjunto, la fe en el progreso y en una transformación política y social que barrería la estructura caciquil y el poder de las instituciones militar y eclesiástica. Así comenzaba a caminar la República.

El Parlamento

El camino marcado por el Gobierno provisional pasaba por convocar elecciones a Cortes y dotar a la República de una Constitución. Elecciones con sufragio universal, masculino y femenino, Gobiernos representativos y responsables ante los parlamentos y obediencia a las leyes y a la Constitución eran las señas de identidad de los sistemas democráticos europeos. Y eso es lo que intentaron introducir, y consiguieron en buena parte, esos republicanos y socialistas que gobernaron España durante los dos primeros años de la Segunda República.

Las elecciones generales a Cortes Constituyentes se celebraron el 28 de junio. Según el decreto de convocatoria, que modificó la Ley Electoral de 1907, habría una única Cámara, en vez de las dos que tenía el Parlamento monárquico. La edad mínima para votar se rebajó de veinticinco a veintitrés años y se mantuvo la exclusividad del sufragio masculino, aunque las mujeres podrían ser ya candidatas, dejando para las futuras Cortes la decisión de conceder el voto a las mujeres. Para corregir las tradicionales prácticas caciquiles y fraudulentas, el voto por distritos uninominales se sustituyó por listas abiertas, con circunscripciones por provincias. Al eliminar los pequeños distritos, el sistema electoral implantado por la República atacó a fondo las raíces del caciquismo e introdujo elecciones libres y limpias por primera vez en la historia de España.

El triunfo de las candidaturas de la coalición republicano-socialista fue arrollador. Las Cortes salidas de las primeras elecciones generales de la República, de 470 diputados, reunieron a diecinueve partidos o grupos. La principal novedad del mapa electoral fue que el Partido Socialista, que nunca había pasado de siete diputados con la Monarquía, tenía ahora 115. El segundo grupo en tamaño eran los radicales de Alejandro Lerroux que, con 94 diputados, obtuvieron una victoria muy importante que dejó libre al Partido Radical el espacio del centro republicano, sobre todo porque la opción conservadora de Alcalá Zamora y Miguel Maura consiguió sólo 22 diputados. Los 59 del Partido Radical Socialista y los 30 de Acción Republicana mostraban también el notable peso de la izquierda republicana, reforzada por la hegemonía de Esquerra Republicana en Cataluña, que obtuvo 35 de los 49 escaños que allí se disputaban, y por los 16 diputados que aportaba la Federación Republicana Gallega.

Casi todos los diputados iban a las Cortes por primera vez. Había muchos intelectuales, periodistas, profesores, abogados y también muchos obreros. Y por primera vez en la historia, tres mujeres: las republicanas Clara Campoamor y Victoria Kent y la socialista Margarita Nelken. No había signo alguno en aquellas Cortes de una radicalización o polarización de la vida política española. No había todavía una extrema derecha sólida, y menos aún un partido fascista, mientras que el Partido Comunista, opuesto entonces frontalmente a la «República burguesa», obtuvo resultados muy bajos y ningún diputado. Dos componentes esenciales del proceso de radicalización del escenario europeo, el fascismo y el comunismo, estaban ausentes en España, aunque sí que existía un poderoso movimiento anarcosindicalista al margen de esas Cortes Constituyentes.

Las organizaciones de derecha no republicana apenas sumaron 50 diputados y sólo ellos parecían dispuestos a defender los intereses del orden tradicional y de la Iglesia católica. Y eso no reflejaba las posiciones de sectores muy amplios de la sociedad española que tenían mucho poder económico, social y cultural, pero no estaban en las Cortes y no iban a poder influir en la elaboración de la Constitución. Porque la República no fue la conquista de un movimiento republicano con raíces sociales profundas, sino el resultado de una movilización popular contra la Monarquía, que recogió los frutos en el momento en que al Rey le fallaron todos sus apoyos sociales e institucionales.

Pero eso no significaba necesariamente que los fundamentos de la República y de la democracia fueran débiles desde el principio. Los resultados de las elecciones de junio de 1931 mostraron que una gran parte de los españoles tenían sus esperanzas puestas en ese nuevo régimen. Todo lo que vino después, las debilidades y fortalezas del sistema, sus logros y fracasos, hasta el golpe de Estado de julio de 1936, tiene explicaciones históricas y no había ningún final fatal ya predestinado en los mismos orígenes de esa República democrática.

Una de las tareas primordiales de esas Cortes era elaborar y aprobar la primera Constitución republicana de la historia de España. Desde el 28 de agosto hasta el 1 de diciembre de 1931, las Cortes debatieron el proyecto presentado por una comisión parlamentaria. La crisis más grave del debate constitucional la provocó el «asunto religioso». Se aprobó al final la propuesta de Azaña que limitaba el precepto constitucional de disolución de Órdenes religiosas sólo a los jesuitas y ratificaba la prohibición de la enseñanza a las congregaciones religiosas. Los diputados agrarios y vasco-navarros abandonaron las Cortes tras la aprobación de ese artículo, el 26. Alcalá Zamora y Miguel Maura dimitieron, y Manuel Azaña fue propuesto como nuevo presidente de Gobierno, cargo que asumió el 15 de octubre.

La Constitución que salió de todas esas discusiones, aprobada finalmente por las Cortes el 9 de diciembre de 1931, definía a España, en el artículo primero, como «una República democrática de trabajadores de toda clase». Esa Constitución declaraba también la no confesionalidad del Estado, eliminaba la financiación estatal del clero, introducía el matrimonio civil y el divorcio y prohibía el ejercicio de la enseñanza a las Órdenes religiosas. Su artículo 36, tras acalorados debates, otorgó el voto a las mujeres. Una vez aprobada esa Constitución democrática y laica, que consagraba la supremacía del poder legislativo, debía elegirse presidente de la República, puesto que recayó en Niceto Alcalá Zamora.

Manuel Azaña recibió el encargo de formar Gobierno. Su intención era que continuaran representadas todas las fuerzas que estaban en el Ejecutivo desde la proclamación de la República. Lerroux se negó a seguir en el Gobierno con los socialistas. Azaña optó por los socialistas. La alianza entre republicanos de izquierda, que sumaban unos 150 diputados, y los socialistas, con 115, podía garantizar la gobernabilidad, teniendo en cuenta, además, que quien pasaba a la oposición, con 94 diputados, era un partido republicano histórico, el Radical de Lerroux, y la oposición monárquica o católica era entonces muy débil.

Ese Gobierno, con Azaña de presidente y de ministro de la Guerra, se mantuvo en pie casi dos años, todo un récord vista la historia posterior de la República. Desde la llegada de la República en abril de 1931 hasta la destitución de Azaña en septiembre de 1933, los Gobiernos de coalición de republicanos y socialistas acometieron la reorganización del Ejército, la separación de la Iglesia y el Estado, y tomaron medidas radicales y profundas sobre la distribución de la propiedad agraria, los salarios de las clases trabajadoras, la protección laboral y la educación pública. Nunca en la historia de España se había asistido a un período tan intenso de cambio y conflicto, logros democráticos y conquistas sociales.

De todas esas reformas, la agraria era la más esperada y la más difícil. No tenía fácil solución el llamado problema de la tierra en España debido a la complejidad de la estructura de la propiedad: predominio de valores extremos, con escasas explotaciones de tamaño medio; y marcadas diferencias regionales, con abundantes minifundios en el norte y dominio de la gran propiedad en el sur. Cualquier reforma agraria, por moderada que fuese, iba a ser percibida por los propietarios como una revolución expropiadora. Por eso la tierra se convirtió en uno de los ejes fundamentales del conflicto durante la República y acabó siendo un componente sustancial de la violencia política en los dos bandos que combatieron en la Guerra Civil.

El alcance de la ley fue muy limitado. La mayoría de las iniciativas reformistas elaboradas desde los Gobiernos de coalición de republicanos y socialistas fueron moderadas en la práctica. Pero amenazadoras en principio. Y quienes percibieron esa amenaza se organizaron muy pronto para combatirla. Las viejas clases dirigentes, los propietarios y las gentes de orden, desplazados del poder por el régimen republicano, reaccionaron de forma enérgica y contundente frente a las reformas. Las clases trabajadoras, con sus organizaciones, protestas y movilizaciones, aparecieron también en el escenario público, en las calles, fábricas y campos, pidiendo la aceleración de las reformas o buscando la revolución, como poderosos contendientes a los que ya no se podía excluir del sistema político.

Los conflictos

Los grupos hasta entonces desprovistos de poder encontraron, con la llegada de la República, nuevas oportunidades de hacer política, de influir sobre la autoridad. La pérdida de control de los ayuntamientos y el avance de la influencia socialista dispararon las resistencias de los propietarios a la legislación republicana. El incumplimiento patronal de las bases reguladoras del trabajo agrícola y, en general, de la legislación social republicana, hizo estallar la protesta campesina. Lo que se pedía en esos conflictos no era la revolución social, la expropiación de los ricos o la colectivización de la tierra, sino mejoras salariales, trabajo libre y acceso al uso y aprovechamiento de la tierra.

Las expectativas iniciales comenzaron a naufragar cuando la lentitud de la reforma agraria se hizo evidente, el paro creció, los recursos fallaron y algunas de las expresiones más radicales de la protesta acabaron en duros escarmientos por parte de las Fuerzas Armadas. Frente a las protestas, los Gobiernos republicanos utilizaron los mismos mecanismos de represión que los de la Monarquía. En realidad, para las autoridades republicanas, el orden público se convirtió en una obsesión. Una obsesión con fundamento, porque los desafíos eran importantes, pero los abundantes derramamientos de sangre que esos conflictos provocaron minaron muy pronto el prestigio del régimen republicano. A la Ley de Defensa de la República del 21 de octubre de 1931 se sumó la Ley de Orden Público de julio de 1933. Además, el Gobierno provisional creó un nuevo cuerpo de policía armada para las ciudades, la Guardia de Asalto. La Guardia Civil, como los acontecimientos demostraron una y otra vez durante esos años, no sabía mantener el orden sin disparar. El odio popular se manifestó de forma clara en la localidad extremeña de Castilblanco el 31 de diciembre de 1931, después de que los disparos de la Guardia Civil causaran la muerte de un huelguista. Los campesinos se abalanzaron sobre los cuatro guardias que reprimían la protesta y con palos, piedras y cuchillos los masacraron.

Enrabietada, falta de disciplina y ante la pasividad de algunas autoridades gubernativas, la Guardia Civil se desahogó durante los primeros días de 1932 con escarmientos mortales en varios pueblos de España. Los sucesos más graves ocurrieron el 5 de enero en Arnedo, en La Rioja, donde la represión de una manifestación pacífica dejó un reguero de sangre en la plaza de la República: seis hombres y cinco mujeres muertos; once mujeres y diecinueve hombres heridos. El presidente del Gobierno llamó al general José Sanjurjo, director general de la Guardia Civil, para comunicarle su destitución. El mismo general que pocos meses después, en agosto, acaudilló la primera rebelión militar contra el régimen republicano. Fracasó porque ese método de derribar a la República por la fuerza todavía no contaba, un año después de su proclamación, con apoyos importantes, salvo de algunos sectores militares, de la aristocracia y de la extrema derecha.

Los socialistas estaban en el Gobierno y en los ayuntamientos, mientras que el anarquismo, la otra ideología que orientaba en España a un sector importante de trabajadores, se mantuvo al margen de las instituciones. La lucha por el reparto del espacio sindical y por el control del trabajo disponible, un bien escaso en momentos de crisis, se convirtió muy pronto en el motivo central de los duros enfrentamientos entre las dos organizaciones sindicales. La UGT, desde el Gobierno, con Largo Caballero al frente, legislando y utilizando el aparato del Estado, ocupó un espacio cada vez más extenso en el campo de las relaciones laborales. La CNT se lanzó a una disputa abierta para conseguir por otros medios el monopolio de la negociación laboral, a través de la acción directa, una estrategia que se manifestó más tarde, con el aumento del paro y de los conflictos, en coacciones y violencia.

Hubo tres tentativas de rebeldía armada en dos años, incitadas por militantes anarquistas y que contaron con algún apoyo obrero y campesino. Las dos primeras, en enero de 1932 y de 1933, fueron dirigidas contra el Gobierno de coalición de republicanos y socialistas. La tercera, la que más víctimas mortales dejó en los combates, ocurrió en diciembre de 1933, a los pocos días de que los radicales de Lerroux y la derecha ganaran las elecciones. Fueron los trágicos sucesos de Casas Viejas, en enero de 1933, sin embargo, los que más repercusión tuvieron en la política republicana. La masacre concluyó con diecinueve hombres, dos mujeres y un niño muerto. Tres guardias corrieron la misma suerte. Decenas de campesinos fueron arrestados y torturados. El Gobierno, dispuesto a sobrevivir al acoso que desde la izquierda y la derecha emprendieron contra él por la excesiva crueldad con la que se había reprimido el levantamiento, eludió responsabilidades.

La CNT demostró con esas acciones insurreccionales que no aceptaba el sistema institucional representativo, la democracia republicana, y que creía en la fuerza como único camino para liquidar los privilegios de clase y los abusos consustanciales al poder. Pero el radicalismo anarquista, aunque contribuyó a extender la cultura del enfrentamiento, no fue el único movimiento, ni el más potente, que obstaculizó la consolidación de la República y de su proyecto reformista. Los grupos dominantes desplazados de las instituciones políticas con la llegada de la República reaccionaron muy pronto. En menos de dos años, el catolicismo arraigó como un movimiento político de masas, apoyado en cientos de miles de pequeños y medianos propietarios rurales, y lanzó una ofensiva desestabilizadora que no concluyó hasta conseguir su objetivo de echar abajo las reformas y extirpar la amenaza revolucionaria.

La oposición de radicales, empresarios, propietarios agrícolas y la aparición de la Confederación Española de Derechas Autónomas (CEDA) como un movimiento político de masas, a partir de febrero de 1933, generó una gran tensión entre un Parlamento dominado por las izquierdas y amplios sectores de la sociedad, incluidos los sindicatos de la CNT, que se enfrentaban a su obra legisladora. Durante esos primeros meses de 1933, hubo claros signos de que la coalición gobernante estaba perdiendo apoyos. La situación empeoró durante el verano y el 7 de septiembre Alcalá Zamora le retiró la confianza presidencial y encargó a Alejandro Lerroux formar un nuevo Gobierno. Los republicanos de izquierda y los socialistas no lo respaldaron y Alcalá Zamora encargó formar otro a Diego Martínez Barrio, vicepresidente del Partido Radical. Al día siguiente de conocerse su composición, el 9 de octubre, se hizo público el decreto de disolución de las Cortes. Un Gobierno liderado por los radicales organizaría las elecciones generales, convocadas para el 19 de noviembre. La gran novedad iba a ser el voto de las mujeres por primera vez en la historia de España en unas elecciones generales, que incorporaba a más de 6.800.000 nuevos electores, más de la mitad del censo.

Las segundas elecciones de la República dieron como resultado un sonado triunfo del Partido Radical y de la CEDA. Hay varias razones que explican ese triunfo y la derrota de la izquierda. La Ley Electoral favorecía a las coaliciones amplias, y los socialistas y los republicanos acudieron en solitario los primeros y desunidos los segundos. Las fuerzas más conservadoras, desorientadas y desorganizadas en 1931, se habían reorganizado y unido en torno a la defensa del orden y de la religión. Los radicales habían desplazado también sus posiciones hacia la derecha, mientras que la propaganda anarquista a favor de la abstención y el enfrentamiento entre los dos sindicalismos obreros, la CNT y la UGT, restaron votos a los candidatos republicanos y socialistas.

La decisión de Alcalá Zamora de retirar la confianza a un Gobierno con mayoría parlamentaria y de dar por concluida la tarea de las Constituyentes abrió un período de inestabilidad política que no había existido hasta ese momento. Se suele repetir a menudo que los Gobiernos de la República fueron débiles y que la media de duración fue de 101 días. Pero esa valoración no se ajusta a la realidad por lo que respecta al primer bienio. Azaña se mantuvo como presidente casi dos años, sin ninguna crisis. Los Gobiernos que presidió el Partido Radical tras las elecciones de 1933 no llegaron a tres meses de promedio de vida, y desde septiembre de 1933 a diciembre de 1935 hubo doce Gobiernos y se turnaron cinco presidentes con 58 ministros.

CAPÍTULO 6

LA REPÚBLICA ACOSADA

Tras el triunfo de la CEDA y el Partido Radical en las elecciones de noviembre de 1933, Alcalá Zamora le pidió a Alejandro Lerroux que formara un Gobierno «puramente republicano», de centro, en el que no estarían ni los republicanos de izquierda ni la CEDA, que no había hecho una declaración pública de adhesión a la República. El viejo dirigente del Partido Radical pensó que una alianza parlamentaria con la CEDA aseguraría la mayoría, y con ello la gobernabilidad, y permitiría incorporar a esa derecha «accidentalista» a la República, dejando fuera a la extrema derecha monárquica. La estrategia de la CEDA, sin embargo, pasaba por llegar al Gobierno, presidirlo y revisar la Constitución.

La CEDA amenazaba con la violencia si no se le permitía gobernar y los socialistas proclamaron su intención de desencadenar una revolución si la CEDA entraba en el Gobierno. Después de la revolución de octubre de 1934, las posibles soluciones de centro que Lerroux y los suyos proponían acabaron bloqueadas por la estrategia de la conquista del poder de la CEDA. Los patronos pasaron a la acción y recuperaron las posiciones perdidas con la llegada de la República.

Orden y religión

La legislación reformista del primer bienio republicano reforzó la tradicional identificación entre el orden y la religión. El abismo entre dos mundos culturales antagónicos, de católicos practicantes y de anticlericales convencidos, que hundía sus raíces en el siglo XIX, se ensanchó con la proclamación de la República y cogió en medio a un amplio número de españoles que hasta entonces se habían mostrado indiferentes ante esa pugna. Había en esa batalla cuestiones fundamentales para la Iglesia, como la no confesionalidad del Estado, la eliminación de la financiación estatal del clero o la prohibición del ejercicio de la enseñanza a las Órdenes religiosas, aunque no deberían despreciarse otros asuntos que alimentaron el conflicto diario entre clericales y anticlericales, como las leyes de divorcio y de matrimonio civil aprobadas en marzo y junio de 1932. Muchos curas y católicos se enfrentaban además con las autoridades locales elegidas en abril de 1931 acerca de ritos y símbolos de notable significado para la religión católica: toques de campanas, procesiones, bautizos, bodas o funerales. Y el incendio de iglesias, colegios religiosos y conventos el 11 de mayo de 1931, al día siguiente de que dos personas resultaran muertas en Madrid tras un incidente con jóvenes monárquicos y enfrentamientos con la Guardia Civil, quedó grabado en la memoria de muchos católicos como el primer asalto contra la Iglesia por parte de una República laica y anticlerical.

La campaña de movilización y de denuncia contra la Constitución y la política «socializante» del Gobierno escaló el peldaño decisivo con la fundación de la CEDA en un congreso celebrado en Madrid en febrero de 1933. La CEDA encauzó intereses muy variados, desde los de los pequeños propietarios a los de un sector de la oligarquía agraria y financiera. Parte del mérito de esa conversión del catolicismo en un movimiento político de masas hay que atribuírselo a José María Gil Robles, un joven y poco conocido hasta entonces abogado salmantino, hijo de carlistas y protegido de Ángel Herrera, que cogió muy pronto fama como parlamentario por sus interpelaciones al Gobierno en materia religiosa.

La movilización de los católicos contra los artículos de la Constitución que perjudicaban a la Iglesia se manifestó en una abierta ofensiva contra Manuel Azaña y su Gobierno de coalición republicano-socialista. Y pusieron en marcha todos los mecanismos, que eran muchos, para derribarlo. Azaña y los gobernantes republicanos despreciaron el poder de la Iglesia y de los católicos, y dos años después de proclamada la República, los tenían allí, enfrente, movilizando en la calle, en los medios de comunicación, en el púlpito.

La hostilidad hacia la República encontró también eco en 1933 con la creación de algunas organizaciones de extrema derecha y fascistas, al calor de las noticias que llegaban de la destrucción de la República de Weimar en Alemania por Hitler y los nazis. El fascismo apareció en España más tarde que en otros países, sobre todo si la referencia son Italia y Alemania, y se mantuvo muy débil como movimiento político hasta la primavera de 1936. El primer grupo fascista organizado creció en torno a Ramiro Ledesma Ramos, joven intelectual, funcionario de Correos, y su semanario *La Conquista del Estado*, fundado en marzo de 1931. Unos meses más tarde, en octubre, Ledesma Ramos y Onésimo Redondo, un abogado ultracatólico de Valladolid, apadrinaron las Juntas de Ofensiva Nacional Sindicalista (JONS). En 1933, el triunfo de Hitler en Alemania atrajo el interés de muchos ultraderechistas que, sin saber todavía mucho del fascismo, vieron en el ejemplo de los nazis un buen modelo para acabar con la República. José Antonio Primo de Rivera, hijo del difunto dictador, fue el vínculo de unión entre el autoritarismo monárquico y las propuestas fascistas con sello italiano. El «acto de afirmación derechista» celebrado en el Teatro de la Comedia de Madrid, el 29 de octubre de 1933, se considera el origen y fundación de Falange Española. A principios de 1934 falangistas y jonsistas se fusionaron en la Falange Española de las JONS, que se mantuvo, hasta la primavera de 1936, como una organización minúscula, con apenas varios miles de afiliados, que buscó apoyos financieros en los monárquicos y en Italia, sin grandes resultados.

La CEDA fue el partido más votado en esas elecciones de 1933, en las que José Antonio Primo de Rivera ganó un acta de diputado. Obtuvo 115 escaños en las nuevas Cortes. Los radicales consiguieron 104 diputados. Las Cortes celebraron su sesión de apertura el 8 de diciembre y el 19 Lerroux formó Gobierno cuando todavía se estaba enterrando a los muertos ocasionados por la tercera y última de las insurrecciones anarquistas, anunciada por la CNT antes de las elecciones en el caso de que triunfaran «las tendencias fascistas». Los enfrentamientos entre autoridades e insurrectos duraron desde el 8 al 15 de diciembre, sobre todo en Aragón y La Rioja, y dejaron un buen saldo de víctimas mortales: 75 muertos y 101 heridos entre los que subvirtieron el orden; 11 guardias civiles muertos y 45, heridos; 3 guardias de asalto muertos y 18, heridos. Las cárceles se llenaron de anarquistas y hubo numerosas denuncias de torturas.

Justo cuando los anarquistas agotaban la vía insurreccional, los socialistas anunciaban la revolución. Tras su salida del Gobierno en septiembre de 1933, la lucha legal y el reformismo dentro de una República parlamentaria dieron paso al anuncio de la revolución social. Tal y como estaba planteado al principio, el anuncio socialista de la revolución que siguió a su salida del Gobierno y a la ruptura con los republicanos era una estrategia defensiva para evitar que la CEDA, la derecha no republicana, accediera al poder.

Así comenzó a gobernar la coalición de republicanos de centro presidida por Lerroux: con una insurrección anarquista recién ahogada en sangre y con el anuncio de otra socialista por venir. Lerroux quería una rectificación de la política del primer bienio sin necesidad de anular algunas de sus reformas. Al Partido Radical nunca le había gustado la legislación laboral de orientación socialista, y las principales asociaciones patronales, satisfechas tras la victoria electoral del centro-derecha, exigieron «rectificaciones

de verdad». Los terratenientes discriminaban a los militantes socialistas y anarquistas más combativos, bajaron los salarios y recuperaron una buena parte del poder que habían perdido en los primeros momentos de la República.

El compromiso del Partido Radical con la CEDA provocó, no obstante, muy pronto importantes tensiones en su
seno, que acabaron por escindirlo. Primero Diego Martínez Barrio, vicepresidente del partido, que dejó a finales
de febrero de 1934 su cartera de ministro de la Guerra.
Después, con motivo de la discusión de una medida de amnistía para los implicados en la sublevación militar de agosto de 1932, Alcalá Zamora mostró su oposición y Lerroux
se vio obligado a presentar la dimisión por una cuestión
protocolaria. El 26 de abril Alcalá Zamora invitó al ministro de Trabajo, Ricardo Samper, jurista y veterano republicano valenciano, a formar Gobierno. Era el tercer Gobierno de los radicales en cuatro meses y la crisis manifestó
también el excesivo intervencionismo de Alcalá Zamora,
quien no permitía de esa forma el normal funcionamiento
del sistema parlamentario. Samper, en cualquier caso, no
era el líder de los radicales y, poco después de asumir la
presidencia, el partido se escindió, quedando su posición
todavía más debilitada, y más escorada hacia la derecha.

Ricardo Samper gobernó hasta comienzos del mes de
octubre. Y durante ese tiempo tuvo que hacer frente a una
creciente movilización sindical, a importantes conflictos
sociales en Madrid, Barcelona y Zaragoza, a una huelga
general campesina, a un conflicto de competencias con la
Generalitat de Cataluña y a una protesta de ayuntamientos
vascos, con participación de nacionalistas, republicanos de
izquierda y socialistas, en defensa del concierto económico, un derecho histórico puesto en cuestión por las propuestas fiscales del ministro de Hacienda, Manuel Marra-
co. A la vuelta de las vacaciones parlamentarias del verano
de 1934, y antes de que las Cortes se reunieran el 1 de octubre, Gil Robles decidió tensar la cuerda, retiró oficialmente el apoyo de la CEDA al Gobierno de Samper y anun-

ció que la CEDA debería entrar en el nuevo Gobierno. Samper dimitió. Alcalá Zamora, que no quería disolver las Cortes, ya que la Constitución sólo se lo permitía hacer en dos ocasiones, accedió a la propuesta de la derecha no republicana y encargó a Lerroux la formación de un nuevo Gobierno, anunciado el 4 de octubre, con la inclusión de tres ministros de la CEDA. Los socialistas declararon su revolución. Nada sería igual después de octubre de 1934.

Huelga general y revolución

La revolución, tal y como la había planeado el comité revolucionario socialista, debería empezar con una huelga general en las principales ciudades y centros industriales, secundada por sectores afines de las Fuerzas Armadas. Hubo huelgas de importancia en Madrid, Sevilla, Córdoba, Valencia, Barcelona y Zaragoza, con conatos de levantamiento armado en algunas localidades de esta provincia. En la zona minera del oeste de Bilbao, el Ejército y la Guardia Civil combatieron durante unas horas con los insurrectos. En ningún sitio, sin embargo, los soldados salieron de los cuarteles a secundar la revolución, y el levantamiento armado quedó reducido a Asturias, aunque la rebelión del Gobierno de la Generalitat contra el poder central tuvo también un fuerte impacto político.

La huelga general comenzó en Cataluña el día 5 de octubre sin el apoyo oficial de la CNT. A las ocho de la tarde del día siguiente, el presidente Lluís Companys anunció que el Gobierno de la Generalitat rompía toda relación con «las instituciones falseadas» y proclamaba «el Estado Catalán dentro de la República Federal Española». El general Domingo Batet, jefe de la guarnición militar de Barcelona, no hizo caso a las órdenes de Companys como máxima autoridad de Cataluña y ocupó la ciudad.

Ese fracaso coincidió en el tiempo con el de la mayoría de las huelgas e intentos de levantamiento que habían secundado la orden del comité revolucionario. Lo que ocurrió en Asturias, con una violencia revolucionaria y una brutal represión posterior desconocidas en España hasta entonces, fue otra cosa muy distinta. Fue un auténtico conato de revolución social: octubre de 1934, el octubre rojo. En Asturias, el movimiento de preparación de la insurrección se había armado con robos de fusiles, ametralladoras y cartuchos de dinamita. La insurrección comenzó en la noche del 5 al 6 de octubre cuando varios miles de militantes de las organizaciones sindicales ocuparon los puestos de la Guardia Civil de la cuenca minera, controlaron Avilés y Gijón, se apoderaron de la fábrica de cañones de Trubia y llegaron a ocupar el centro de Oviedo. Se puso en marcha un rápido control de los servicios públicos y del transporte, de abastecimientos de las localidades sitiadas, se llegó en algunos sitios a suprimir la moneda oficial y aparecieron las primeras manifestaciones de violencia contra propietarios, gente de orden y el clero. Treinta y cuatro sacerdotes, seminaristas y hermanos de las Escuelas Cristianas de Turón fueron asesinados, pasando de la persecución legislativa del primer bienio a la violencia física contra los representantes eclesiásticos. En Asturias volvió a aparecer además el fuego purificador: 58 iglesias, el palacio episcopal, el seminario con su espléndida biblioteca y la Cámara Santa de la catedral fueron quemados o dinamitados.

Para coordinar las operaciones militares y la represión de esa insurrección, Diego Hidalgo, ministro de la Guerra, puso al frente al general Francisco Franco, quien recurrió, para sofocar la insurrección obrera, a la Legión y a las tropas regulares de Marruecos. El 18 de octubre, los últimos grupos insurrectos se rindieron. Frente a la violencia revolucionaria, hubo ejecuciones sumarias bajo la ley marcial. El balance más aproximado de víctimas da 1.100 muertos entre los que apoyaron la insurrección, unos 2.000 heridos y unos 300 muertos de las fuerzas de seguridad y del Ejército. En la represión inmediata, cientos de prisioneros fueron sometidos a palizas y torturas. Numerosos dirigentes políticos republicanos y socialistas, como Largo Caballero y Azaña, fueron detenidos. Las cárceles se llenaron de presos, revolucionarios y militantes de izquierda, y la represión se convirtió en un tema recurrente del debate político durante los meses siguientes.

El fracaso de esa insurrección, aunque mejor organizada y con más apoyos y armas que las anarquistas de 1932 y 1933, no resulta difícil de explicar. Las fuerzas de orden público y del Ejército se mantuvieron fieles al Gobierno y no había ninguna posibilidad de que se pusieran al lado de los revolucionarios o de que se negaran a reprimirlos. La preparación militar de la insurrección quedó en manos de grupos de jóvenes que podían alzar barricadas en algunos barrios de las ciudades o luchar con más armas en las zonas mineras, pero no oponerse a un ejército unido. Las revoluciones, para ser armadas, tienen que contar con una parte del Ejército. Y para abrir un proceso revolucionario se necesita, como el golpe militar de julio de 1936 demostró, el colapso y la división de los mecanismos de coerción y defensa del Estado. Y nada de eso ocurrió en octubre de 1934.

Con esa insurrección, los socialistas demostraron un idéntico repudio de la democracia parlamentaria al que habían practicado los anarquistas en los años anteriores. El mismo anuncio de la revolución, condicionado a la entrada de la CEDA en el Gobierno, fue un método de coacción contra la legítima autoridad política establecida. Los socialistas, independientemente de las circunstancias que se aduzcan para su radicalización, rompieron con el proceso democrático y con el sistema parlamentario como método de presión para reconducir la política. Las llamadas a la acción violenta aumentaron en la misma medida en que crecía la desconfianza en la legalidad republicana. La aparición de Falange Española, la subida de Hitler al poder, el aplastamiento del movimiento socialista austríaco por el canciller Dollfuss, en febrero de 1934, la agresividad verbal de Gil Robles con continuas declaraciones contra la democracia y a favor del «concepto totalitario del Estado» y las claras demostraciones fascistas de las Juventudes de Acción Popular (JAP) movilizaron a los jóvenes, universitarios y obreros, que se lanzaron en esos primeros meses de 1934 a enfrentamientos políticos violentos, ausentes durante los primeros años de la República.

Plantear, sin embargo, que con la insurrección de octubre se rompió cualquier posibilidad de convivencia constitucional en España, «preludio» o «primera batalla» de la Guerra Civil, es situar a una insurrección obrera, derrotada y reprimida por el orden republicano, en el mismo plano que una sublevación militar ejecutada por las fuerzas armadas del Estado. La República siempre reprimió las insurrecciones e impuso el orden legítimo frente a ellas. Anarquistas y socialistas abandonaron después de octubre de 1934 la vía insurreccional y las posibilidades de volver a intentarlo en 1936 eran prácticamente nulas, con sus organizaciones escindidas y muy debilitadas.

Después de octubre de 1934, la izquierda intentó restablecer la actividad política democrática, vencer en las urnas y superar los desastres insurreccionales. La CEDA se creció, defendió la represión hasta sus últimas consecuencias y echó por la borda cualquier posibilidad de estabilizar la República con su socio de coalición, el Partido Radical. Las posibles soluciones de centro que Lerroux y los suyos proponían acabaron bloqueadas por la estrategia de la conquista del poder de la CEDA y por los escándalos que, apenas un año después de octubre, les sacudieron de lleno hasta eliminarlos del escenario político.

«Todo el poder para el jefe»

Tras provocar varias crisis en las que la CEDA logró echar a varios ministros, Gil Robles preparó su entrada en el Gobierno. El 3 de abril de 1935, los tres ministros de la CEDA dimitieron por la conmutación de la pena de muerte a veinte condenados por los tribunales militares por la insurrección de Asturias. En las nuevas consultas iniciadas por Alcalá Zamora a causa de la crisis, la CEDA y los agrarios de José Martínez de Velasco solicitaron una mayor representación en el Gobierno. Ante la negativa de Alcalá Zamora, que no quería dar a la CEDA más poder, Gil Robles amenazó con disolver las Cortes y las JAP pidieron «todo el poder para el jefe» en una concentración con parafernalia fascista celebrada en Madrid el 23 de abril.

Lerroux accedió a formar de nuevo un Gobierno con la CEDA. Esta vez, sin embargo, con mayoría de la derecha no republicana, la primera vez que eso sucedía durante la República. Sólo había tres ministros radicales, mientras que los agrarios eran dos y la CEDA sumaba cinco. José María Gil Robles entraba en el Gobierno como ministro de la Guerra. Era el 6 de mayo de 1935. Desde la salida de Azaña en septiembre de 1933, los radicales habían formado siete Gobiernos en apenas veinte meses.

Comenzó entonces de verdad la «rectificación» de la República, con los radicales, que habían roto todos los puentes posibles con los republicanos de izquierda y los socialistas, sometidos a la voluntad de la CEDA y a las exigencias revanchistas de los patronos y terratenientes. Cientos de jurados mixtos fueron inutilizados o suprimidos, con una modificación legal absoluta de las reformas laborales aprobadas en los dos primeros años por Francisco Largo Caballero. Miles de trabajadores fueron despedidos por pertenecer a los sindicatos de la UGT o de la CNT o con el pretexto de que habían participado en la insurrección y huelgas de octubre.

Donde más se notó esa ofensiva patronal fue en el campo. Con las nuevas condiciones creadas tras octubre de 1934, una coalición de diputados de extrema derecha y de la CEDA vieron cumplido su objetivo de echar abajo la Ley de Reforma Agraria de septiembre de 1932. La derecha que controlaba las Cortes no quería ninguna reforma de la tierra, ni radical ni conservadora. Todo era más fácil, además, porque más de dos mil ayuntamientos socialistas y republicanos de izquierda, el 20 por ciento del total de los ayuntamientos de España, habían sido sustituidos, por decisión gubernativa, por comisiones gestoras del Partido Radical y de la CEDA desde octubre de 1934.

La promesa del Partido Radical de una «República para todos los españoles» ya no se la creía nadie, en un momento en que el Gobierno, controlado por el sector más reaccionario de la CEDA, se identificaba sólo con los intereses de los grandes terratenientes y de la patronal. Gil Robles, ministro de la Guerra desde mayo a diciembre de 1935, reforzó, con su política de nombramientos, el poder de los militares antiazañistas y derechizó al Ejército. Militares como Joaquín Fanjul, Emilio Mola, Manuel Goded, Monasterio o Franco, todos, sin excepción, con un protagonismo extraordinario en la sublevación contra la República de julio de 1936. Por el contrario, muchos militares de historial republicano fueron cesados en sus puestos y sufrieron represalias profesionales.

Quedaba pendiente, por último, la reforma constitucional, uno de los grandes objetivos de Gil Robles y de la CEDA, que de llevarse a cabo, liquidaría la Constitución de 1931. El Partido Radical también quería una reforma de la Constitución, aunque de menor alcance. El Gobierno de Lerroux presentó un anteproyecto de ley ante las Cortes, el 5 de julio, con la reforma de 41 artículos referentes a la religión, la familia, la propiedad y a los procesos autonómicos regionales. Se formó entonces una comisión parlamentaria de la reforma constitucional, presidida por Ricardo Samper, pero que, dadas las divergencias entre el Partido Radical y la CEDA sobre el alcance de la revisión, no empezó a trabajar hasta octubre. Para entonces, sin embargo, Lerroux ya no era presidente del Gobierno. Otra crisis, una más, le había desplazado de ese puesto, al que ya no volvería.

Comenzó la crisis de forma inesperada con la dimisión en septiembre de los dos ministros del Partido Agrario, en protesta por el traspaso a la restaurada Generalitat de Cataluña de algunas competencias. Lerroux dimitió para reorganizar la coalición, a falta del apoyo agrario, y tomó las riendas del poder Joaquín Chapaprieta, financiero, liberal, amigo de Alcalá Zamora, que era ministro de Hacienda en el Gobierno saliente. Muy poco duró, no obstante, ese Gobierno. Al constituirse, Alcalá Zamora ya sabía que los «familiares y amigos» de Lerroux estaban implicados en una trama de corrupción con sobornos incluidos. Daniel Strauss, un hombre oscuro de negocios que se hacía pasar por holandés, intentó introducir en España un juego de ruleta y para obtener la licencia entregó varias cantidades de dinero y relojes de oro a algunos miembros del Partido Radical. La legalización, pese a las cantidades pagadas, no llegó y los dos inventores y promotores del juego, Strauss y Perle, buscaron una compensación y airear el escándalo. A comienzos de septiembre de 1935, Strauss le mandó a Alcalá Zamora un dossier completo con toda la trama de corruptelas, con nombres y apellidos de los implicados. El presidente de la República se lo presentó a Lerroux justo antes de la crisis de septiembre, pero el viejo líder radical no le dio importancia. El asunto pasó después a las Cortes y se abrió una investigación judicial. Los ministros radicales tuvieron que dimitir el 29 de octubre. Chapaprieta formó un Gobierno sin los radicales. Había estallado el escándalo del «estraperlo», un neologismo que combinaba el apellido de los dos promotores de aquel juego y que se convirtió, sobre todo después de la Guerra Civil, en el término más utilizado para designar al mercado negro. Chapaprieta, sólo, sin partido y a quien la CEDA le bloqueaba sus reformas económicas, presentó la dimisión el 9 de diciembre. Era la oportunidad de Gil Robles para llegar al Gobierno y emprender la revisión de la Constitución.

Pero Alcalá Zamora bloqueó el acceso de Gil Robles a la presidencia del poder ejecutivo porque, según escribió después en sus memorias, el líder de la CEDA nunca había hecho una «explícita declaración de plena adhesión al régimen». Hubo rumores de golpe de Estado. Con el Partido

Radical desacreditado por los escándalos y la CEDA vetada por el presidente de la República, el 14 de diciembre formó Gobierno Manuel Portela Valladares, con independientes y liberal-demócratas. Tres semanas después, el 7 de enero de 1936, ante la imposibilidad de gobernar sin el apoyo de ninguno de los dos partidos importantes, Alcalá Zamora firmó el decreto de disolución de las Cortes y encargó a Portela la tarea de organizar nuevas elecciones. Ya no había posibilidades de formar más gobiernos efímeros. Unas nuevas elecciones decidirían de nuevo el rumbo de la República.

En los meses anteriores, Manuel Azaña e Indalecio Prieto habían mantenido correspondencia sobre la necesidad de construir una coalición similar a la que había gobernado los dos primeros años de la República. Poco a poco, tras la debacle en las elecciones de noviembre de 1933, los republicanos de izquierda se habían recuperado y reorganizado. En abril de 1934, Acción Republicana, el Partido Republicano Gallego, de Casares Quiroga, y los radicales socialistas independientes de Marcelino Domingo, se unieron en un nuevo partido llamado Izquierda Republicana, con Manuel Azaña como máximo dirigente. Y en septiembre del mismo año, disidentes del Partido Radical, encabezados por Martínez Barrio, y un grupo de escindidos del Partido Radical Socialista, con Félix Gordón Ordás al frente, formaron Unión Republicana. Con esa política de agrupamiento, los republicanos de izquierda frenaron la acusada tendencia a la disgregación iniciada en 1933 y pudieron pensar en una vuelta a sus orígenes, a una gran coalición electoral con los socialistas.

Largo Caballero, desde la dirección de UGT, se opuso a ese acuerdo, aunque ante la convocatoria de elecciones accedió a incorporarse con la condición de que, después de las elecciones, si la coalición ganaba, debían gobernar sólo los republicanos. Además, el Partido Comunista de España (PCE), que empezaba a salir del aislamiento y marginación en los que se había mantenido durante los primeros años de la República, debía entrar en esa coalición electoral. Fueron precisamente los comunistas quienes la bautizaron como Frente Popular, nombre que Manuel Azaña nunca aceptó. El pacto oficial de creación se anunció el 15 de enero, con la firma de los dirigentes de los partidos republicanos de izquierda, el movimiento socialista, el PCE, el Partido Obrero de Unificación Marxista (POUM), una organización nueva, resultado de la fusión del Bloc Obrer i Camperol de Joaquín Maurín y de Izquierda Comunista de Andreu Nin, y el Partido Sindicalista, creado por Ángel Pestaña tras su salida de la CNT.

CAPÍTULO 7

1936. LA DESTRUCCIÓN DE LA DEMOCRACIA

La victoria de la coalición del Frente Popular en las elecciones de febrero de 1936 fue recibida con júbilo en muchas ciudades, mientras varios generales intentaban dar un golpe militar. Manuel Azaña y los republicanos de izquierda volvieron al Gobierno. Había cosas urgentes que hacer y muchas promesas que cumplir. Pero aunque retornaban muchos de sus protagonistas y la expectación era grande, el ambiente tras ese triunfo político de la izquierda en poco o nada se asemejaba al de aquella primavera de 1931 que cinco años antes había inaugurado la República. La gente de orden se sintió amenazada por el avance de la izquierda, en el Parlamento y en los poderes locales, el nuevo empuje de las organizaciones sindicales y las protestas que generaban. La derecha no republicana, derrotada en las urnas, ya sólo pensaba en una solución de fuerza contra el Gobierno y la República. Un sector importante del Ejército conspiró y no paró hasta derribarlos. En febrero de 1936 hubo elecciones libres y democráticas; en julio de 1936, un golpe de Estado.

El Frente Popular

El 72 por ciento de la población española, hombres y mujeres, votó en febrero de 1936, la participación más alta de las tres elecciones generales que tuvieron lugar durante la Segunda República. Fueron unas elecciones limpias, en un país con instituciones democráticas y con muchos sectores de la población que consideraban ese acto electoral decisivo para el futuro. Por eso la campaña electoral fue tan intensa y agitada. El Frente Popular planteó un programa moderado, con la amnistía y la vuelta a las reformas, a las soluciones políticas, como puntos básicos. La derecha no republicana insistió en que era una batalla entre la España católica y la revolución. La ultraderecha, monárquica y fascista, apelaba ya a la lucha armada y a la salida dictatorial.

Ganó por pocos votos el Frente Popular, aunque el sistema mayoritario establecido por la Ley Electoral le dio una holgada mayoría en las Cortes: 263 escaños frente a 156 de la derecha y 54 de los diferentes partidos del centro. El electorado votó sobre todo a socialistas, republicanos de izquierda y católicos. En el Frente Popular, los primeros puestos en las candidaturas los ocuparon casi siempre los republicanos del partido de Azaña y en la derecha fueron a parar a la CEDA, lo cual no confirmaba, frente a lo que se repite a menudo, el triunfo de los extremos. Los candidatos comunistas siempre estuvieron en el último lugar de las listas del Frente Popular y los diecisiete diputados obtenidos fueron el fruto de haber logrado incorporarse a esa coalición y no el resultado de su fuerza real. La Falange sumó únicamente 46.466 votos, el 0,5 por ciento del total.

Conocidos los primeros resultados, Gil Robles intentó convencer a Portela Valladares, presidente del Gobierno, de que no dimitiera y de que declarara el estado de guerra. El general Franco, jefe del Estado Mayor, telefoneó al general Sebastián Pozas, director general de la Guardia Civil, y le pidió que, para prevenir el desorden y la revolución, se uniera a una acción militar que ocupara las calles. El general Goded quiso sublevar el Cuartel de la Montaña de Madrid y Joaquín Fanjul y Ángel Rodríguez del Barrio sondearon otras guarniciones de la capital. Franco no vio la situación madura y se echó para atrás. Portela, ante las presiones de unos y de otros para que declarara el estado de guerra y anulara los resultados de las elecciones, asustado por los rumores de golpe militar y por los disturbios provocados en varias ciudades para liberar a los presos políticos, dimitió el 19 de febrero. Niceto Alcalá Zamora, presidente de la República, llamó a Manuel Azaña para encargarle la formación del Gobierno.

En el Gobierno sólo había republicanos, tal y como había pactado Azaña con los socialistas antes de las elecciones. Nueve ministros eran de Izquierda Republicana y tres de Unión Republicana. Era un Gobierno moderado, mal llamado de Frente Popular, formado por catedráticos y abogados en su mayoría que, en algunos casos, como José Giral, Santiago Casares o Marcelino Domingo, ya habían sido hombres de confianza de Azaña entre 1931 y 1933. Pero los dos partidos en él representados no ocupaban ni la cuarta parte de los escaños de las Cortes y eso podía complicar su estabilidad.

Pese a que frecuentemente se repite que España entró en la primavera de 1936 en una oleada de huelgas sin precedentes, los datos y estudios disponibles muestran que los conflictos fueron menores en número y menos graves que en el período transcurrido entre 1931 y 1933. Pero tras la experiencia de octubre de 1934, la derrota de la derecha en las elecciones y la vuelta de republicanos de izquierda y socialistas a las instituciones políticas, locales y provinciales, la amenaza al orden social y la subversión de las relaciones de clase se percibía con mayor intensidad en 1936 que en los primeros años de la República. El lenguaje de lucha de clases, con su retórica sobre las divisiones sociales y sus incitaciones a atacar al contrario, había impregnado gradualmente la atmósfera española. La violencia, además, hizo acto de presencia con algunos atentados contra personajes conocidos y los choques directos armados entre grupos políticos de la izquierda y de la derecha plasmaban en la práctica, con resultados sangrientos en ocasiones, los excesos retóricos y la agresividad verbal de algunos dirigentes. Y por si eso no bastara, los dos partidos con más presencia en las Cortes, el PSOE y la CEDA, tampoco contribuyeron durante esos meses a la estabilidad política de la democracia y de la República. La política y la sociedad españolas mostraban signos inequívocos de crisis, lo cual no significaba necesariamente que la única salida fuera una guerra civil.

El 12 de marzo varios pistoleros falangistas tirotearon en Madrid a Luis Jiménez de Asúa, conocido dirigente socialista y catedrático de derecho, uno de los principales redactores de la Constitución republicana de 1931. La Dirección General de Seguridad ordenó la detención de la junta política y la directiva nacional de Falange. El 14 de marzo, José Antonio Primo de Rivera fue detenido en su casa, al igual que otros dirigentes. El juez les acusó de defender un programa, el de Falange, anticonstitucional, decretó el procesamiento de los acusados por asociación ilícita y ordenó su ingreso en prisión. Un mes después, el 13 de abril, fue asesinado también por falangistas Manuel Pedregal, un magistrado de la Audiencia. Derechistas e izquierdistas se enfrentaron en los días siguientes en diferentes lugares de Madrid, con un saldo de siete muertos y cuarenta heridos. La mayoría de esas peleas y atentados ocurrieron en Madrid, lo cual elevaba su impacto.

Mientras todo eso ocurría en las calles, las Cortes, que habían comenzado a funcionar bajo la presidencia de Diego Martínez Barrio el 15 de marzo, estaban bastante paralizadas por la discusión de las actas parlamentarias y sobre todo por el proceso de destitución del presidente de la República y de elección de uno nuevo. Una crisis que, según todos los especialistas, debilitó al Gobierno republicano de izquierda y allanó el camino de la conspiración militar. Nadie quería que Alcalá Zamora siguiera en la presidencia de la República. El presidente de la República, según la Constitución, se elegía por sufragio indirecto. En las elecciones para compromisarios, celebradas el 26 de abril, la mayoría de la derecha se abstuvo de acudir a los comicios. El Frente

Popular obtuvo 358 compromisarios y 63 la oposición. Dos semanas después, el 10 de mayo, en el Palacio de Cristal del madrileño Parque del Retiro, Manuel Azaña fue elegido por abrumadora mayoría, y los votos en blanco de la CEDA, presidente de la República. El ofrecimiento de Azaña a Prieto para que formara Gobierno chocó con la negativa de la UGT y de la izquierda socialista, que amenazaron con romper el pacto del Frente Popular si Prieto accedía a la presidencia del Ejecutivo. Ante la imposibilidad de un Gobierno de coalición presidido por los socialistas, Azaña recurrió a uno de sus colaboradores más fieles, Santiago Casares Quiroga, que presidió el nuevo Gobierno y asumió también el cargo de ministro de la Guerra.

La escisión del socialismo desde diciembre de 1935, con dos direcciones autónomas y enfrentadas, la del PSOE en manos de la facción «centrista» de Indalecio Prieto y la de la UGT en poder de la «izquierdista» de Francisco Largo Caballero, bloqueó cualquier posibilidad de reforzar el Gobierno republicano. Las Juventudes Socialistas se mostraban cada vez más lanzadas a la creación de milicias, al encuadramiento paramilitar y a los enfrentamientos armados con otros grupos de jóvenes fascistas. Bajo la dirección de Santiago Carrillo, se fusionaron en junio con las Juventudes Comunistas, creando las Juventudes Socialistas Unificadas, preámbulo del sueño comunista de unir los dos partidos obreros marxistas.

En el extremo opuesto de la política parlamentaria, la CEDA inició un proceso de acercamiento definitivo a las posiciones autoritarias, que era muy visible desde hacía ya meses en sus juventudes, en el lenguaje y saludo fascista que utilizaban y en los uniformes que vestían. Las elecciones de febrero de 1936 marcaron el fin del «accidentalismo» en el movimiento católico. Cuando esa «revisión» de la República sobre bases corporativas no fue posible efectuarla a través de la conquista del poder por medios parlamentarios, objetivo que compartían Gil Robles y la jerarquía de la Iglesia católica, comenzaron a pensar en métodos más expeditivos. A partir de la derrota electoral de febrero de 1936, todos captaron el mensaje: había que abandonar las urnas y tomar las armas. Las Juventudes de Acción Popular engrosaban las filas de Falange (alrededor de quince mil afiliados se pasaron de una organización a otra) y Gil Robles secundaba en las Cortes la violencia verbal y antisistema de José Calvo Sotelo.

La conquista del poder

La confrontación entre la Iglesia y la República, entre el clericalismo y el anticlericalismo, volvió al primer plano de actualidad tras las elecciones de febrero de 1936. Y aparecieron de nuevo las disputas sobre asuntos simbólicos, como la prohibición por parte de las autoridades locales de procesiones, tañidos de campanas y manifestaciones de culto externo. El Gobierno de Azaña, y después el de Casares Quiroga, retomaron algunas de las cuestiones que ya habían dividido a católicos y republicanos durante los primeros años: el cierre de los colegios religiosos, la coeducación en las aulas, el fortalecimiento de la enseñanza pública a costa de la religiosa. Pero de los más de 250 muertos que se dice hubo en ese período de febrero a julio como consecuencia de la «violencia política», ninguno pertenecía al clero, lo cual contradice el recuerdo que de esa primavera de 1936 se transmite todavía a menudo.

Las posiciones catastrofistas se tragaron a lo poco que quedaba del catolicismo social. En Navarra y Álava se consolidaba en esos meses el requeté, los «boinas rojas», una organización militar que contaba con numerosos lugares de maniobras y prácticas militares a los que acudían los curas y las gentes de orden de la zona. Cuando llegó la hora, el requeté, con su jerarquía rígida y su intensa preparación, fue la milicia civil en la que más podían confiar los militares rebeldes. Porque toda esa ofensiva de la ultraderecha y de las masas católicas de la CEDA no habría dado los frutos deseados, echar abajo la República y extirpar la amenaza socialista y libertaria, si no hubiera podido contar con las armas de un sector importante del Ejército.

De la organización de la conspiración se encargaron algunos militares de extrema derecha y la Unión Militar Española (UME), una organización semisecreta, antiizquierdista, que incluía a unos cuantos centenares de jefes y oficiales. El 8 de marzo, Francisco Franco, que partía al día siguiente destinado para Canarias, los generales Mola, Orgaz, Villegas, Fanjul, Rodríguez del Barrio, García de la Herrán, Varela, González Carrasco, Ponte, Saliquet y el teniente coronel Valentín Galarza se reunieron en Madrid «para acordar un alzamiento que restableciera el orden en el interior y el prestigio internacional de España», según consta en los documentos conservados sobre «la preparación y desarrollo del Alzamiento Nacional». Y los asistentes mostraron también su acuerdo en que el general Sanjurjo, que vivía entonces en Portugal, encabezara la sublevación.

El principal protagonista de la trama, sin embargo, acabó siendo el general Mola, quien se entrevistó con los distintos jefes de la rebelión y dictó, con el pseudónimo de «El Director», varios informes, instrucciones y anexos reservados para el mando de las diferentes divisiones. La respuesta de los militares a sumarse al golpe fue lenta, pero Mola ya sabía que las guarniciones de Marruecos estaban dispuestas a sublevarse. A finales de junio estaban ya ultimados los preparativos de la rebelión. El 4 de julio el acaudalado Juan March aceptó aportar el dinero para conseguir el avión que trasladaría a Franco desde Canarias a Marruecos.

El asesinato de José Calvo Sotelo convenció a los golpistas de la necesidad urgente de intervenir y sumó al golpe a muchos indecisos, que estaban esperando a que las cosas estuvieran muy claras para decir que sí y comprometer con más garantías sus sueldos y sus vidas. En la tarde del domingo 12 de julio, varios pistoleros de extrema derecha, tradicionalistas, asesinaron en una calle céntrica de Madrid a

José del Castillo, teniente de la Guardia de Asalto, de conocida afiliación socialista. Unas horas después, en la madrugada del día siguiente, algunos de sus compañeros policías,
dirigidos por un capitán de la Guardia Civil, fueron al do-
micilio de Calvo Sotelo y lo asesinaron. El 14 de julio el
Dragon Rapide llegó a Canarias. En la tarde del 17 se sublevaron en Marruecos las guarniciones de Melilla, Tetuán
y Ceuta. El día 18, de madrugada, Franco firmó una declaración de estado de guerra y se pronunciaba contra el Gobierno de la República. El 19 de julio llegó a Tetuán. Mientras tanto, otras muchas guarniciones militares de la
Península se sumaban al golpe. Era el fin de la República
en paz.

La República, en definitiva, había encontrado dificultades para consolidarse y tuvo que enfrentarse a fuertes
desafíos desde arriba y desde abajo. Pasó dos años de rela-
tiva estabilidad, un segundo bienio de inestabilidad política y unos meses finales de acoso y derribo. Los primeros
desafíos fuertes, y los que más se vieron porque solían acabar en enfrentamientos con las fuerzas de orden público,
llegaron desde abajo, desde las protestas sociales y después
insurrecciones, de anarquistas y socialistas. El golpe de
muerte, el que la derribó por las armas, nació, sin embargo, desde arriba y desde dentro, desde el mismo seno de
sus fuerzas armadas y desde los poderosos grupos de orden
que nunca toleraron la República.

En febrero de 1936 hubo elecciones libres y sin falseamiento gubernamental, en las que la CEDA, como los demás partidos, puso todos sus medios, que eran muchos,
para ganarlas. Las perdió y su espacio político lo comenzaron a ocupar las fuerzas extraparlamentarias y antisistema
de la ultraderecha. No había en esos momentos en España
un movimiento fascista de masas, como lo había en Italia en
1922 o en Alemania en 1933, porque España no participó
en la Primera Guerra Mundial y no tuvo, por lo tanto, masas de excombatientes que pudieran engrosar las filas de
organizaciones paramilitares, caldo de cultivo esencial del

fascismo como movimiento político y social. Y tampoco sufrió España las consecuencias de la crisis económica de 1929 de una forma tan severa como otros países, a la vez que la debilidad del nacionalismo español y el peso de burocracias tradicionales y reaccionarias, como el Ejército y la Iglesia católica, impedían el avance de un movimiento cuyos principios se identificaban precisamente con un nacionalismo radical y moderno.

Apenas tres años después de su aparición, sin embargo, Falange Española y de las JONS, junto con los monárquicos de Renovación Española, el carlismo y las masas del catolicismo político, estaban en primera fila en el acoso y derribo violento de la República. Aunque no arraigó un «verdadero» partido fascista de masas en la sociedad española, sí que germinó y tomó fuerza una tradición político-cultural contrarrevolucionaria capaz de ser movilizada para desempeñar un papel similar.

En los primeros meses de 1936, la sociedad española estaba muy fragmentada, con la convivencia bastante deteriorada, y como pasaba en todos los países europeos, posiblemente con la excepción de Gran Bretaña, el rechazo de la democracia liberal a favor del autoritarismo avanzaba a pasos agigantados. Nada de eso conducía necesariamente a una guerra civil. Ésta empezó porque una sublevación militar debilitó y socavó la capacidad del Estado y del Gobierno republicanos para mantener el orden. La división del Ejército y de las fuerzas de seguridad impidió el triunfo de la rebelión, el logro de su principal objetivo: hacerse rápidamente con el poder. Pero al minar decisivamente la capacidad del Gobierno para mantener el orden, ese golpe de Estado dio paso a la violencia abierta, sin precedentes, de los grupos que lo apoyaron y de los que se oponían. En ese momento, y no en octubre de 1934 o en la primavera de 1936, comenzó la Guerra Civil.

LA GUERRA CIVIL

CAPÍTULO 8

ESPAÑA PARTIDA EN DOS

Los militares que planearon la sublevación sabían que tenían importantes apoyos y pensaban en un rápido triunfo. Las cosas no salieron así, sin embargo, y lo que resultó de esa sublevación fue una larga Guerra Civil de casi tres años.

Dentro de esa guerra hubo varias y diferentes contiendas. En primer lugar, un conflicto militar, iniciado cuando el golpe de Estado enterró las soluciones políticas y puso en su lugar las armas. Fue también una guerra de clases, entre diferentes concepciones del orden social, una guerra de religión, entre el catolicismo y el anticlericalismo, una guerra en torno a la idea de la patria y de la nación, y una guerra de ideas, de credos que estaban entonces en pugna en el escenario internacional. Una guerra imposible de reducir a un conflicto entre comunismo o fascismo o entre el fascismo y la democracia. En la Guerra Civil española cristalizaron, en suma, batallas universales entre propietarios y trabajadores, Iglesia y Estado, entre oscurantismo y modernización, dirimidas en un marco internacional desequilibrado por la crisis de las democracias y la irrupción del comunismo y del fascismo.

La Guerra Civil española ha pasado a la historia, y al recuerdo que de ella queda, por la espantosa violencia que generó. Simbolizada en las «sacas», «paseos» y asesinatos masivos sirvió en los dos bandos en lucha para eliminar a sus respectivos enemigos, naturales o imprevistos. En esa operación de limpieza, los militares sublevados contaron además desde el principio con la inestimable bendición de la Iglesia católica. El clero y las cosas sagradas, por otro lado, constituyeron el primer blanco de las iras populares, de quienes participaron en la derrota de la sublevación y de quienes protagonizaron el «terror popular» emprendido en el verano de 1936.

España quedó partida en dos. La República en guerra pasó por tres diferentes etapas, con tres presidentes de Gobierno. La revolución y los sindicatos dominaron durante el primer año, antes de que el socialista Juan Negrín se convirtiera en su principal dirigente. Los sublevados contra la República tuvieron menos dificultades para encontrar un mando único militar y político, y el general Francisco Franco fue desde el 1 de octubre de 1936 su jefe indiscutible.

Rebelión y quiebra del orden

La sublevación triunfó en casi todo el norte y noroeste de España: en Galicia, León, la vieja Castilla, Oviedo, Álava, Navarra, y en las tres capitales de Aragón; en las islas Canarias y Baleares, excepto en Menorca; y en amplias zonas de Extremadura y Andalucía, incluidas las ciudades de Cáceres, Cádiz, Sevilla, Córdoba, Granada y, desde el 29 de julio, Huelva. Los militares insurrectos fueron derrotados, sin embargo, en la mayoría de las grandes ciudades, en Madrid, Barcelona o Valencia, donde encontraron la resistencia aliada de otras fuerzas armadas leales a la República y de militantes de las organizaciones políticas y sindicales. La división del Ejército y de las fuerzas de seguridad impidió el triunfo de la rebelión militar, el logro de su principal objetivo: hacerse rápidamente con el poder.

No fue, por consiguiente, el Ejército «en bloque» el que se sublevó contra la República. De los dieciocho generales con mando de división únicamente se sublevaron cuatro: Cabanellas, Queipo, Goded y Franco. La parte más activa de la sublevación la llevó el cuerpo de oficiales, que arrastró con su actuación a bastantes jefes no implicados al principio y que no tuvieron ningún problema en utilizar la violencia frente a los indecisos o frente a quienes se oponían a sus planes. De los 15.301 oficiales de todas las Armas, Cuerpos y Servicios que había en julio de 1936, poco más de la mitad eran claros partidarios de la rebelión. Los sublevados contaban inicialmente con unos 120.000 hombres armados, de los 254.000 que había en ese momento en la Península, en las Islas y en África, incluyendo a las fuerzas de orden público. Confluyeron, sin embargo, varios factores que dieron superioridad a los sublevados y disminuyeron la eficacia de quienes permanecieron leales a la República. Por un lado, la orden general del Gobierno republicano de desmovilizar a los soldados, concebida para restarle fuerza a los militares rebeldes, consiguió los efectos contrarios porque muchos de esos soldados, en aquellas zonas donde fracasó la sublevación, se negaron después a volver a sus unidades y, bajo el amparo de la movilización popular y revolucionaria, ingresaron en las milicias. Una parte sustancial de lo que podía haber sido desde el principio el ejército republicano quedó roto, en unidades dispersas y sin posibilidad alguna de imponer su disciplina ante las milicias, «el pueblo en armas», que emergían por todas partes.

Entre los sublevados, por el contrario, todo era muy diferente porque, pese a que el Ejército peninsular tampoco estaba muy preparado para la guerra, contaban con fuerzas disciplinadas y organizadas y sobre todo dispusieron desde el principio del ejército de África, de la casi totalidad de sus 1.600 jefes y oficiales y de los cuarenta mil hombres bajo su mando. Su tropa más afamada y mejor adiestrada era el llamado Tercio de Extranjeros, la Legión, fundada por Millán Astray y Franco en 1920. Al lado de la Legión estaban además las Fuerzas Regulares Indígenas, formadas por mercenarios marroquíes y algunos españoles. El problema era pasar esas tropas a la Península. Franco recurrió entonces a la ayuda de Hitler y Mussolini. A partir del 29 de julio comenzaron a salir con destino a Te- tuán una veintena de aviones de transporte, Junker 52, y seis cazas Heinkel. Mussolini resolvió apoyar también a los militares rebeldes y el 28 de julio envió una escuadrilla de doce bombarderos Savoia-Marchetti S.81 y dos buques mercantes con cazas Fiat C.R. 32. Todos esos aviones per- mitieron a Franco eludir el bloqueo naval de la marina republicana, pasar las tropas a Andalucía y empezar así el avance sobre Madrid. El 7 de agosto, un día después de que un convoy de tropas africanas cruzara el Estrecho, Franco estaba ya instalado en Sevilla.

Franco tenía a su disposición las fuerzas militares del protectorado marroquí y el general Emilio Mola contaba en Navarra con el apoyo unánime del requeté. Al frente de la sublevación debía ponerse el general José Sanjurjo, algo que no fue posible porque el avión que le trasladaba a Es- paña el 20 de julio desde su exilio en Portugal se estrelló nada más despegar y se incendió cerca del aeródromo de Cascais. La muerte de Sanjurjo, y el fracaso de Fanjul y Goded en sus insurrecciones en Madrid y Barcelona, obli- garon a reorganizar los planes de los militares rebeldes. El 21 de julio, Mola se trasladó en avión a Zaragoza para ha- blar con el general Miguel Cabanellas, que se había suble- vado con éxito en la capital aragonesa, e invitarle a presidir la Junta de Defensa Nacional, el primer órgano de coordi- nación militar en la zona sublevada, que se formó en Bur- gos tres días después.

El jefe de Gobierno, el republicano Santiago Casares Quiroga, temeroso de la revolución y del desorden popu- lar que podía estallar, ordenó a los gobernadores civiles que no repartieran armas entre las organizaciones obreras. Poco más pudo hacer porque la celeridad de los aconteci- mientos se lo tragó. Dimitió el 18 de julio por la noche. La mañana del 19 de julio aceptó el encargo José Giral, amigo y hombre de confianza de Manuel Azaña. En ese Gobierno sólo había republicanos de izquierda. Giral dio el paso de- cisivo de armar a los militantes obreros y republicanos más comprometidos, que salieron a las calles a combatir a los sublevados allí donde la fidelidad de algunos mandos militares, o la indecisión de otros, lo permitió.

Resulta innecesario, por lo tanto, seguir alimentando mitos. No fue el pueblo, «el pueblo en armas», quien venció solo a los rebeldes en las calles de las principales ciudades españolas. El Estado republicano, sin embargo, al perder el monopolio de las armas, no pudo impedir que allí donde los insurgentes fueron derrotados se abriera un proceso revolucionario, súbito y violento, dirigido a destruir las posiciones de los grupos privilegiados. Las calles se llenaron de hombres y mujeres armados. No estaban allí exactamente para defender la República, a quien ya se le había pasado su oportunidad, sino para hacer la revolución. Los medios políticos dejaban paso a los procedimientos armados.

Un golpe de Estado contrarrevolucionario, que intentaba frenar la revolución, acabó finalmente desencadenándola. No era la primera vez, ni sería la última, que eso pasaba en la historia. Es muy probable que sin ese golpe, y sin ese colapso de los mecanismos de coerción del Estado, la apertura del proceso revolucionario nunca se hubiera producido. Por supuesto, si hubiera habido unanimidad a favor de la sublevación en las fuerzas armadas, cualquier resistencia hubiera sido vencida fácilmente. Las milicias sindicales, incluso armadas, no hubieran podido hacer nada frente a un Ejército unido. Las organizaciones revolucionarias tenían capacidad para minar y desestabilizar a la República, pero no para echarla abajo y sustituirla.

Las caras del terror

La Guerra Civil española ha pasado a la historia, y al recuerdo que de ella queda, por la deshumanización del contrario y por la espantosa violencia que generó. Si tenemos en cuenta las investigaciones más rigurosas elaboradas en los últimos años, hubo al menos 150.000 víctimas mortales de esa violencia durante la guerra: casi 100.000 en la zona controlada por los militares rebeldes y algo menos de 60.000 en la republicana. Cifras al margen, conocemos bien las principales manifestaciones de ese terror.

Desde el primer minuto del golpe militar, la destrucción del adversario pasó a ser la prioridad absoluta. Los militares sublevados hicieron probar el hierro de su espada a decenas de miles de ciudadanos. Nadie conocía mejor que ellos lo útil que podía ser el terror para paralizar las posibles resistencias y eliminar a sus oponentes. Muchos de ellos se habían forjado en las guerras coloniales, escenarios idóneos para el desprecio por los valores humanitarios y las virtudes cívicas, para educarse en el culto a la violencia. Sembraron el terror desde el primer día, intimidando, matando, aplastando las resistencias. Con la declaración del estado de guerra, consideraron «rebeldes» a los que defendían la República.

Comenzaron así los encarcelamientos en masa, la represión selectiva para eliminar las resistencias, las torturas sistemáticas y el terror «caliente», ese que dejaba a los ciudadanos allí donde caían abatidos, en las cunetas de las carreteras, en las tapias de los cementerios, en los ríos, en pozos y minas abandonados. Alcaldes, gobernadores civiles, concejales, dirigentes sindicales y de las organizaciones políticas del Frente Popular fueron los primeros en sufrir ese terror de los «paseos». Además de las autoridades políticas, intelectuales y maestros, esa represión selectiva incluyó también a un número considerable de dirigentes y militantes de las organizaciones obreras. Socialistas y anarquistas, comunistas, sindicalistas de la UGT y de la CNT, cayeron a miles. Militares, falangistas, patronos, propietarios y gente de orden ajustaban con ellos cuentas, saldaban viejos litigios, cansados como estaban de reivindicaciones obreras, de sus amenazas revolucionarias, de sus aspiraciones sociales y de su reforma agraria.

La ola exterminadora atrapó también a miles de ciudadanos que nunca habían destacado por sus intervenciones públicas. Al amparo de ese nuevo orden sin ley, bastaba con que algún vecino declarara que esa persona no iba nunca a misa, visitaba la casa del pueblo o el ateneo libertario, había celebrado los triunfos republicanos en las elecciones o era, simplemente, elemento «significado y contrario al Movimiento Nacional». Era el reflejo de la oposición y enfrentamiento entre dos mundos, de los desequilibrios socioeconómicos y culturales entre los que algo o mucho poseían y quienes poco o nada tenían, entre los que habían tenido posibilidades de acceder a la cultura y los analfabetos. El reflejo, en definitiva, de una represión de clase, desde arriba hacia abajo, acompañada y reforzada por la persecución política.

La purga fue gigantesca y dramática en el mundo rural, donde las intensas relaciones personales propiciaron el afloramiento de viejos litigios, riñas familiares y pasionales, mezclados con el odio político y de clase, con la sed de venganza de unos propietarios asustados por las amenazas populares. Aquéllos fueron también días aciagos para muchas mujeres, que cayeron a montones, aunque en ninguna provincia llegaron al 10 por ciento de los ejecutados, pero sobre todo sufrieron humillaciones que iban desde los cortes de pelo al acoso sexual, pasando por las purgas de aceite de ricino o la prohibición de manifestar su dolor a través del luto.

Falangistas, requetés, milicias ciudadanas y voluntarios constituían las manifestaciones más visibles de la movilización derechista que había propiciado la sublevación militar. Todos esos sectores reaccionarios acompañaron al Ejército en la ejecución del terror, que, aunque dejó en muchas ocasiones el trabajo de limpieza a esos grupos paramilitares, fue el máximo responsable de la violencia al asumir todas las atribuciones en materia de orden público y someter la justicia ordinaria a la militar.

En la zona republicana, allí donde la sublevación fracasó y la quiebra del orden dio paso a la revolución, militares y, sobre todo, el clero, constituyeron los primeros blancos de la violencia. Junto a ellos, fueron también asesinados en esas primeras semanas políticos conservadores, propietarios, terratenientes, labradores, burgueses, comerciantes, trabajadores significados en las fábricas por sus ideas moderadas, técnicos y jefes de personal de las diferentes industrias, y católicos, muchos católicos. Los principales responsables de esas muertes fueron los comités revolucionarios surgidos tras el derrumbe del poder republicano, los milicianos y los diferentes «grupos de investigación y vigilancia» que las organizaciones políticas y sindicales crearon en las principales ciudades.

La mayoría de los casi 60.000 asesinatos cometidos en la zona republicana se produjo en los primeros meses de la guerra, en el momento de máximo poder de los comités y de las milicias. Después, desde el otoño de 1936, miles de presos salvaron sus vidas por el orden y disciplina que impusieron en la retaguardia las organizaciones políticas representadas en los gobiernos de Francisco Largo Caballero y Juan Negrín.

Esa violencia contra la gente de orden y el clero causó enormes perjuicios a la causa republicana en el extranjero. La imagen de los conventos ardiendo, de la persecución del clero o de la matanza de Paracuellos de Jarama, en noviembre de 1936, dieron la vuelta al mundo, mientras que las grandes masacres cometidas por los militares rebeldes en el verano de 1936, en Sevilla, Zaragoza o en la plaza de toros de Badajoz, no tuvieron ninguna repercusión negativa en los círculos políticos, diplomáticos y financieros de Londres o París. El «terror rojo» pesó además de forma muy desfavorable en los esfuerzos de la República por obtener apoyo internacional.

Un lugar muy especial lo ocupó José Antonio Primo de Rivera, en la cárcel de Alicante cuando estalló la sublevación militar. Fue fusilado en la madrugada del 20 de noviembre de 1936, a los treinta y tres años de edad. Ahí empezó la leyenda del «ausente», astutamente cultivada por Franco. En su honor se levantaron después de la guerra decenas de edificios, a la vez que se designaba con su nombre a cientos de calles, plazas y escuelas y se grababa en las paredes de las iglesias la leyenda «José Antonio Primo de Rivera, ¡presente!». En realidad, antes de su muerte, había sido un personaje con una carrera política poco relevante, que ni siquiera salió elegido diputado en las elecciones de febrero de 1936.

A la vista de tanta muerte y asesinato, la conclusión parece clara: la violencia fue inseparablemente unida al golpe de Estado y al desarrollo de la Guerra Civil. Simbolizada por las «sacas», «paseos» y asesinatos masivos, sirvió en los dos bandos en lucha para eliminar a sus respectivos enemigos, naturales o imprevistos. Fue una parte integral del «glorioso Movimiento Nacional», de su asalto a la República y de la conquista gradual del poder, palmo a palmo, masacre tras masacre, batalla tras batalla. Se convirtió asimismo en un ingrediente básico de la respuesta multiforme y desordenada que las organizaciones políticas y sindicales de izquierda dieron al golpe militar. Más que una consecuencia de la guerra, como puede a veces creerse, esa violencia fue el resultado directo de una sublevación militar que llevó con ella desde el primer instante el asesinato impune y el tiro de gracia. Un plan estratégicamente diseñado que, donde falló, encontró una réplica armada súbita y feroz contra los principales protagonistas de la sublevación y contra quienes se consideraban sus compañeros materiales y espirituales de armas.

En esa operación de exterminio, los sublevados contaron además desde el principio con la inestimable bendición de la Iglesia católica. El clero y las cosas sagradas, por otro lado, constituyeron el primer blanco de las iras populares. Los principales representantes de la Iglesia católica ofrecieron desde el principio sus manos y su bendición a los sublevados. Se trataba de salvar la patria, el orden y la religión, tres cosas que en el fondo eran para ellos lo mismo. Y al servicio de esa causa pusieron todas sus energías desde el púlpito, con sermones, arengas y declaraciones episcopales.

La complicidad del clero con ese terror militar y fascista fue absoluta y no necesitó del anticlericalismo para manifestarse. Desde el cardenal Gomá al cura que vivía en Zaragoza, Salamanca o Granada, todos conocían la masacre, oían los disparos, veían cómo se llevaban a la gente, les llegaban familiares de los presos o desaparecidos, desesperados, pidiendo ayuda y clemencia. Y salvo raras excepciones, la actitud más frecuente fue el silencio, voluntario o impuesto por los superiores, cuando no la acusación o la delación.

Mientras eso ocurría, la otra mitad de la Iglesia, la que había quedado en las comarcas donde la rebelión militar fracasó, sufría lo que Gomá llamó el «furor satánico», un castigo de dimensiones ingentes y devastador. Más de 6.800 eclesiásticos, del clero secular y regular, fueron asesinados; una buena parte de las iglesias, ermitas, santuarios fueron incendiados o sufrieron saqueos y profanaciones, con sus objetos de arte y culto destruidos total o parcialmente.

La religión católica y el anticlericalismo se sumaron con ardor a la batalla que sobre temas fundamentales relacionados con la organización de la sociedad y del Estado se estaba librando en territorio español. El anticlericalismo violento que estalló con la sublevación militar no aportó beneficio alguno a la causa republicana. El hecho de que la violencia de los militares sublevados se ejecutara en nombre de valores tan superiores como la patria y la religión facilitaba mucho las cosas, comparada con esa otra violencia «en servicio de la anarquía». Así se percibió en España y más allá de sus fronteras. Fue una batalla más de las que perdió la República en el plano internacional.

Una guerra internacional

El escenario internacional a finales de los años treinta reunía circunstancias poco propicias para la paz y eso afectó de forma decisiva a la duración, curso y desenlace de la

Guerra Civil española, un conflicto claramente interno en su origen. Las políticas de rearme emprendidas por los principales países europeos desde comienzos de esa década crearon un clima de incertidumbre y crisis que redujo la seguridad internacional. La Unión Soviética inició un programa masivo de modernización militar e industrial que la colocaría a la cabeza del poder militar durante las siguientes décadas. Por las mismas fechas, los nazis, con Hitler al frente, se comprometieron a echar abajo los acuerdos de Versalles y devolver a Alemania su dominio. La Italia de Mussolini siguió el mismo camino y su economía estuvo supeditada cada vez más a la preparación de la guerra. Francia y Gran Bretaña comenzaron el rearme en 1934 y lo aceleraron desde 1936. El comercio mundial de armas se duplicó desde 1932 a 1937.

Bajo esas condiciones, ninguno de esos países mostró interés por parar la Guerra Civil española. El apoyo internacional a los dos bandos fue vital para combatir y continuar la guerra en los primeros meses. La ayuda italo-germana permitió a los militares sublevados trasladar el ejército de África a la Península a finales de julio de 1936 y la ayuda soviética contribuyó de modo decisivo a la defensa republicana de Madrid en noviembre de 1936. El apoyo militar de la URSS a la República sirvió como pretexto para que las potencias del Eje incrementaran su apoyo militar y financiero al bando de Franco. Esos apoyos se mantuvieron casi inalterables hasta el final de la guerra, mientras que el resto de los países europeos, con Gran Bretaña a la cabeza, parecían adherirse al Acuerdo de No Intervención.

La política de no intervención partió del Gobierno francés del Frente Popular. Ya que no podían ayudar a la República, porque eso hubiera creado un conflicto interno de consecuencias imprevisibles en la sociedad francesa, al menos forzarían a Alemania e Italia a que interrumpieran su apoyo al bando militar insurgente. La política de no intervención serviría, según los objetivos diplomáticos establecidos por el Foreign Office, para confinar la lucha dentro de las fronteras españolas y evitar el enfrentamiento con Italia y Alemania. Esa política ponía en el mismo plano a un Gobierno legal y un grupo de militares rebeldes.

A finales de agosto de 1936, los 27 Estados europeos, todos excepto Suiza, neutral por mandato constitucional, habían suscrito oficialmente el Acuerdo de No Intervención en España. En la práctica, la no intervención fue una auténtica «farsa», como la calificaron los contemporáneos que percibieron que dejaba a la República en desventaja con los militares rebeldes. La Unión Soviética, que no creía en el acuerdo, decidió en principio adherirse para mantener buenas relaciones con Francia y Gran Bretaña. Pero Alemania, Italia y Portugal se burlaron sistemáticamente del compromiso y continuaron con los envíos de armas y municiones.

Todo parecía favorable, en el plano internacional, para los militares insurgentes. Las cosas comenzaron a cambiar, sin embargo, cuando Stalin decidió intervenir en la contienda, dos meses después de su estallido. En octubre llegaron los primeros envíos de armas a España. A partir de ese momento, la ayuda militar soviética a la República, pagada con las reservas de oro del Banco de España, no cesó hasta el final de la guerra y fue importantísima para sostener la causa republicana frente al ejército de Franco y el apoyo de Hitler y Mussolini. Además del material bélico, con una aportación muy sustancial de aviones y carros de combate, cifrada aproximadamente en 700 y 400 unidades respectivamente, la URSS envió alimentos, combustible, ropa y un número considerable, alrededor de dos mil personas en total, de pilotos, técnicos, asesores y funcionarios de la policía secreta, el NKVD, bajo el mando de Alexander Orlov.

A la vez que las primeras armas, comenzaron a llegar también los primeros voluntarios extranjeros de las Brigadas Internacionales, reclutadas y organizadas por la Internacional Comunista, que percibió muy claramente el impacto de la Guerra Civil española en el mundo y el deseo de muchos antifascistas de participar en esa lucha. Las cifras de brigadistas varían según las fuentes. Los análisis más recientes y exhaustivos proporcionan una cifra cercana a 35.000, aceptada hoy por bastantes historiadores, aunque nunca hubo más de 20.000 combatientes a la vez y en 1938 el número se había reducido ostensiblemente. Unos 10.000 murieron en combate y por países, vinieron de más de cincuenta.

Frente a la intervención soviética y a las Brigadas Internacionales, los nazis y fascistas incrementaron el apoyo material al ejército de Franco y enviaron asimismo miles de militares profesionales y combatientes voluntarios. La guerra se internacionalizó y con ello ganó en brutalidad y destrucción. Para que no hubiera duda sobre el propósito de esa intervención, el 18 de noviembre de 1936, el mes de la gran ofensiva franquista sobre Madrid, los Gobiernos de las dos potencias del Eje reconocieron oficialmente a Franco y poco después llegaron a Burgos los primeros embajadores. Hitler decidió por esas mismas fechas el envío de una unidad aérea que combatiría como cuerpo autónomo de combate, con sus propios jefes y oficiales, en las filas franquistas. Se llamó Legión Cóndor y llegó a España por vía marítima a mediados de noviembre. Su fuerza constaba de unos 140 aviones, apoyados por un batallón de 48 tanques y otro de 60 cañones antiaéreos. La Guerra Civil española se convirtió así en campo de pruebas de la Luftwaffe, un ensayo de los aviones de bombardeo y caza que se utilizarían poco tiempo después en la Segunda Guerra Mundial.

El número total de combatientes en la Legión Cóndor ascendió durante toda la guerra a 19.000 hombres, contando pilotos, tanquistas y artilleros, aunque nunca hubo más de 5.500 a la vez. Mucho más numerosa fue la aportación italiana, que comenzó a llegar a España en diciembre de 1936 y en enero de 1937, tras el pacto secreto de amistad firmado por Franco y Mussolini el 28 de noviembre. El Corpo di Truppe Volontarie (CTV), al mando del general Mario Roatta hasta el desastre de Guadalajara en marzo de

1937, y después de los generales Ettore Bastico, Mario Berti y Gastone Gambara, constaba de modo permanente de 40.000 soldados y su número total ascendió a 72.775 hombres. Llegaron también 5.699 hombres más de la Aviazone Legionaria.

En la Guerra Civil española combatieron, por lo tanto, decenas de miles de extranjeros. Fue en realidad una guerra civil europea, con el permiso tácito del Gobierno británico y del francés. Frente al mito del peligro comunista y revolucionario, lo que realmente llegó a España a través de una intervención militar abierta fue el fascismo.

CAPÍTULO 9

POLÍTICAS Y ARMAS

A la República la forzaron a combatir en una guerra que no inició y las organizaciones políticas de izquierda tuvieron que adaptarse a una actividad militar de la que ignoraban prácticamente todo. Las diferentes visiones de cómo organizar el Estado y la sociedad que tenían los partidos, movimientos y personas que lucharon en el bando republicano contribuyeron notablemente a bloquear una política unida frente al bando de los militares sublevados.

La política y la estrategia militar no siempre coincidieron en el bando republicano. Y los conflictos y desunión en la retaguardia fueron también mayores que en la franquista porque las autoridades militares, bajo la jefatura única de Franco, gobernaron la retaguardia con mano de hierro. Pero los militares sublevados ganaron la guerra porque tenían las tropas mejor entrenadas del Ejército español, al poder económico y a la Iglesia católica con ellos, y los vientos internacionales soplaban también a su favor.

La República en guerra

La República pasó durante la guerra por tres diferentes etapas, con tres presidentes de Gobierno. La primera, con José Giral, estuvo marcada por la resistencia al golpe, la formación de milicias, la revolución y la eliminación de los símbolos de poder y de las personas de orden. Surgieron comités por todas partes. La España republicana era en aquel verano de 1936 un hervidero de poderes armados y fragmentados de difícil control. En Cataluña estaba el Comité Central de Milicias Antifascista, donde los anarquistas trataban de imponer su ley. En el País Valenciano apareció también muy pronto el Comité Ejecutivo Popular. En Málaga y Lérida había un Comité de Salud Pública. Y en Madrid, además de un Comité Nacional del Frente Popular, que organizaba milicias y la vida de la ciudad, estaba el Gobierno de José Giral, que formado sólo por republicanos de izquierda no podía representar a esa amalgama de comités, milicias y patrullas de control donde socialistas y anarquistas, sindicalistas de la UGT y de la CNT dirigían la revolución, la que destruía y mataba, y la que intentaba levantar algo nuevo de aquellas cenizas.

El Gobierno de Giral no representaba a esa nueva movilización política y social abierta con la rebelión militar. El ejército de África, además, avanzaba imparable hacia Madrid, tras dominar Extremadura e importantes zonas de Castilla-La Mancha. El 3 de septiembre, las columnas de Yagüe llegaron a Talavera. Ese mismo día, en el norte, donde el general Mola había iniciado un ataque sobre Guipúzcoa, cayó Irún. Se imponía un cambio de rumbo. Era la hora de los sindicatos y de Largo Caballero, el líder indiscutible de la UGT.

El 4 de septiembre de 1936, Largo Caballero aceptó presidir «un gobierno de coalición». Era un Gobierno con mayoría socialista, en el que había también cinco republicanos, dos comunistas y un nacionalista vasco. Fue, en realidad, el primer y único Gobierno de la historia de España presidido por un dirigente obrero y la primera vez que había ministros comunistas en un país de Europa Occidental. Dos meses después, el 4 de noviembre, la CNT entró en el Gobierno de la República con cuatro representantes, entre ellos una mujer, Federica Montseny, ministra de Sanidad, la primera mujer que desempeñaba un cargo de esa categoría en la historia de España. Ése sí que era un hecho histórico, que los anarquistas participaran en el Gobierno de una nación.

La oportunidad de los anarquistas de acceder al Gobierno no llegó, sin embargo, en el mejor momento. El mismo día en que se producía, las tropas del ejército de Franco estaban a las puertas de Madrid, donde se iba a librar la batalla más decisiva de la primera fase de la guerra. El general Franco, jefe ya de los militares sublevados desde el 1 de octubre de 1936, ordenó concentrar todos los medios de combate para conquistar la capital, con el ejército de África a la cabeza, reforzado por escuadrillas de aviones alemanes e italianos. El Gobierno se mostró incapaz de organizar con eficacia la defensa de la capital. El 6 de noviembre se decidió la salida del Gobierno de Madrid y su traslado a Valencia. Una salida precipitada, mantenida en sigilo, sobre la que no se dio explicación pública alguna.

Antes de marchar, Largo Caballero ordenó la creación de una Junta de Defensa que, bajo la presidencia del general Miaja, desempeñó la autoridad en ese Madrid sitiado desde ese día hasta el 22 de abril de 1937. Nombró también a Vicente Rojo, que había sido ascendido a teniente coronel un mes antes, jefe del Estado Mayor del general Miaja. Parecía que la toma de Madrid por el ejército sublevado era cuestión de días, pero, pese a la confusión y desorden que se adueñó esos días de la capital, manifestada también en las grandes «sacas» y matanzas de presos, las tropas de Franco no lograron su objetivo. Rojo y Miaja, con la ayuda de varios jefes militares que habían mostrado su lealtad a la República, organizaron la defensa con todas las fuerzas disponibles, entre las que pudieron contar por primera vez en la guerra con la participación de las Brigadas Internacionales. Pudo llegar también a tiempo la ayuda militar soviética pagada ya con el envío de las reservas de oro. Y toda la población, soliviantada por los bombardeos y cañoneos constantes de los militares franquistas, contribuyó a detener el empuje de los atacantes.

El Partido Comunista, que tuvo una presencia decisiva en la Junta de Defensa, creció de forma considerable a partir de ese momento. Era un pequeño partido en las elecciones de febrero de 1936, aunque ya antes de la guerra había logrado unir a los jóvenes socialistas y comunistas en las Juventudes Socialistas Unificadas (JSU) y, recién derrotada la sublevación en Barcelona, varios grupos socialistas y comunistas catalanes habían creado el Partit Socialista Unificat de Catalunya (PSUC), una organización que pronto se iba a enfrentar abiertamente con el POUM y los anarquistas por el control político de la retaguardia. Su crecimiento y prestigio fueron unidos, no obstante, a la presencia de las Brigadas Internacionales, a la ayuda soviética y al orden y disciplina que sus líderes fueron capaces de imprimir en la dirección de la guerra.

Desde septiembre de 1936 hasta mayo de 1937, Largo Caballero, con la colaboración de todas las fuerzas políticas y sindicales que luchaban en el bando republicano, presidió la reconstrucción del Estado, la militarización de las milicias, el control y enfriamiento de la revolución y la centralización del poder. La militarización, el control de la retaguardia y la reconstrucción del poder republicano se abordaron, no obstante, en medio de fuertes disputas entre algunos de los sectores políticos que configuraban la coalición del Gobierno de Largo Caballero. La confrontación estalló en Barcelona, una ciudad alejada del frente, símbolo de la revolución anarcosindicalista, a comienzos de mayo de 1937, con unos combates que dejaron decenas de muertos y heridos por las calles. Era la culminación de una lucha en la que los comunistas y los socialistas de Indalecio Prieto apostaron fuerte para eliminar del Gobierno a Largo Caballero y a las organizaciones sindicales, a quienes se veía como los principales obstáculos para unificar esfuerzos en el ámbito político, socioeconómico y militar.

La crisis llegó al Gobierno. Según los republicanos, los comunistas y los socialistas de Prieto, Largo Caballero no era el hombre apropiado para poner unidad en el campo republicano ni orden en la retaguardia, y tampoco para ganar la guerra. El viejo líder sindical, a quien todos habían respaldado unos meses antes, se encontraba ahora, tras la caída de Málaga en poder de las tropas franquistas en febrero de 1937 y los posteriores enfrentamientos violentos de mayo en Barcelona, desplazado, aislado y sin poder contar ni siquiera con los apoyos de su propio sindicato.

Azaña decidió encargar a Juan Negrín (1892-1956) la formación del nuevo Gobierno. Fisiólogo, socialista, políglota, de reconocida capacidad para los asuntos financieros, había apadrinado unos meses antes el envío de las tres cuartas partes de las reservas de oro del Banco de España a la Unión Soviética. Había que restablecer la autoridad del poder de la República en Cataluña, sobre todo en lo que hacía referencia al orden público. Su Gobierno asumió las competencias de orden público que tenía hasta ese momento la Generalitat y el 11 de agosto disolvió el Consejo de Aragón, el órgano de poder controlado por los anarquistas. Varios centenares de cenetistas, entre ellos Joaquín Ascaso, fueron encarcelados. Los nuevos órganos de poder local, con la ayuda de fuerzas de seguridad y de la XI División del Ejército al mando de Enrique Líster, destruyeron las colectividades, se incautaron de todos sus bienes y devolvieron las tierras a sus propietarios.

El otro asunto pendiente desde mayo de 1937, qué hacer con el POUM, se resolvió de modo más rápido y expeditivo. Algunos de sus militantes fueron perseguidos y torturados. El 16 de junio de 1937, a la vez que se declaraba ilegal al POUM, Andreu Nin, su secretario político, fue detenido en Barcelona por un grupo de policías y trasladado a Madrid, donde se produjo su secuestro y asesinato por agentes de los servicios secretos soviéticos en España, dirigidos por el general del NKVD, Alexander Orlov. La violencia política en la retaguardia catalana y aragonesa, que se saldó con varios asesinatos de anarquistas, comunistas y militantes del POUM, más los centenares de muertos que dejaron las luchas en las calles de Barcelona en mayo de 1937, eran la mejor demostración de que la República tenía un grave problema en su desunión interna, un verdadero obstáculo para ganar la guerra.

Negrín la quería ganar luchando, con disciplina en la retaguardia y en el Ejército, y organizando una fuerte industria de guerra, aunque el objetivo primordial de sus estrategia consistía en conseguir un cambio radical en la política de no intervención y obtener de esa forma el apoyo de las potencias democráticas occidentales. La guerra iba a ser larga y se podía ganar. Es lo que pensaba Negrín cuando llegó al Gobierno y en los dos años en que dirigió la política de la República pasó por momentos esperanzadores y por otros desastrosos, que parecían presagiar el descalabro final.

Hubo todavía esperanzas en el verano de 1938, con el inicio de la batalla del Ebro y la obtención de un crédito de 60 millones de dólares que proporcionó la Unión Soviética, a punto de extinguirse ya las reservas de oro. Esperanzas frustradas en el frente internacional con el pacto de Múnich de finales de septiembre, en el que Gran Bretaña y Francia entregaron Checoslovaquia a Hitler, y en el frente interno con el desenlace de la batalla del Ebro, el 16 de noviembre, que acabó con el Ejército de la República volviendo a sus posiciones del 24 de julio, el día del inicio, pero con decenas de miles de bajas y una pérdida considerable de material de guerra que ya no podría utilizarse para defender a Cataluña frente a la ofensiva decisiva franquista.

En aquellos momentos en que la República se jugaba todo, resistir militarmente hasta que estallara en Europa un conflicto o, en el peor de los casos, aguantar para conservar una posición de fuerza y negociar una rendición sin represalias, reapareció la desunión interna. Muchos dirigentes republicanos y socialistas se desmoralizaron y comenzaron a criticar la estrategia de resistencia de Negrín y su dependencia de la Unión Soviética y del PCE. El hambre y la crisis de subsistencias erosionaron también la resistencia, pero el final de la República lo aceleró la conspiración y golpe del coronel Segismundo Casado, jefe del Ejército del Centro, que tenía como principal misión derribar al Gobierno de Negrín y negociar con Franco la entrega de armas y hombres. Consiguió algunos apoyos militares y políticos, entre los que destacaban el líder anarquista Cipriano Mera y el socialista Julián Besteiro. El 5 de marzo, los sublevados formaron el Consejo Nacional de Defensa. Era una rebelión militar contra el Gobierno legal, todavía en funciones.

Los combates fueron intensos en Madrid durante unos días, hasta el 10 de marzo, dejando cerca de 2.000 muertos. A los sublevados no les resultó muy difícil aplastar la resistencia comunista, en medio del cansancio y del malestar general. Confiaban en la clemencia prometida por Franco, que Negrín y otros muchos sabían que no iba a cumplir. Porque la guerra de los militares rebeldes de julio de 1936, con Franco al frente, fue de exterminio y eso significaba destruir de raíz al enemigo para que no pudiera levantar cabeza en décadas.

La España sublevada

En la España controlada por los militares sublevados, la construcción de un nuevo Estado fue acompañada de la eliminación física del oponente, la destrucción de todos los símbolos y políticas de la República y de la búsqueda de una victoria rotunda e incondicional sin posibilidad de mediación alguna. En ese camino Franco contó con el apoyo y la bendición de la Iglesia católica. Obispos, sacerdotes y religiosos comenzaron a tratar a Franco como un enviado de Dios para poner orden en la «ciudad terrenal» y Franco acabó creyendo que, efectivamente, tenía una relación especial con la divina providencia.

Francisco Franco tenía cuarenta y tres años cuando se sublevó contra la República. Casi toda su carrera militar la hizo en África, lo que le proporcionó ascensos rápidos por méritos de guerra y un buen número de medallas, cruces y distinciones. Era considerado por sus compañeros de armas un jefe preparado y competente, pero su camino al poder supremo quedó muy despejado por la desaparición de la escena de algunos de sus rivales más cualificados para ese puesto. El general José Sanjurjo murió el 20 de julio cuando el pequeño avión en que lo llevaba el falangista Juan Antonio Ansaldo se estrelló cerca de Lisboa. Los generales Joaquín Fanjul y Manuel Goded habían fracasado en su intento de tomar Madrid y Barcelona, y fueron detenidos y unos días después fusilados. Emilio Mola, que había preparado la conspiración y la rebelión en calidad de director, aunque era general de brigada, de rango inferior a Franco, podía ser, no obstante, un competidor.

Franco jugó sus cartas con destreza y ambición. Se presentó ante periodistas y diplomáticos como el principal general de los sublevados. Dirigía además las tropas mejor preparadas del Ejército español, que logró pasar a la Península gracias a los aviones de transporte y bombarderos que le enviaron Hitler y Mussolini. Ése fue, según los mejores especialistas, el factor decisivo que colocó a Franco como el mejor candidato en la lucha por el poder.

El primer objetivo era crear un mando militar único y un aparato político centralizado. El 1 de octubre de 1936 Franco fue nombrado «Jefe del Gobierno del Estado español». En la ceremonia de investidura el general Miguel Cabanellas, en presencia de diplomáticos de Italia, Alemania y Portugal, le entregó el poder en nombre de la Junta de Defensa que presidía desde el 24 de julio y que fue disuelta para ser sustituida por una Junta Técnica del Estado encabezada por el general Fidel Dávila. Franco adoptó el título de *Caudillo*, que le conectaba con los guerreros medievales.

Todas las fuerzas políticas que apoyaron la sublevación militar defendían a finales de 1936, asumido ya el mando supremo de Franco, algún tipo de unificación, aunque el problema residía en dilucidar quién ocuparía más cuotas de poder. En este punto, todos temían a Falange, que había experimentado un crecimiento espectacular en los primeros meses de la Guerra Civil. Su discurso radical y estructura paramilitar hicieron de polo de atracción cuando las armas sustituyeron a la política. En el mes de octubre de 1936 había más de treinta y seis mil falangistas en los frentes. Ahora que tenía miles de afiliados, carecía sin embargo de una dirección sólida, de dirigentes indiscutibles o carismáticos. José Antonio Primo de Rivera estaba preso en Alicante; Onésimo Redondo había muerto en un enfrentamiento armado con las milicias republicanas; Julio Ruiz de Alda, Fernando Primo de Rivera, hermano menor de José Antonio, y Ramiro Ledesma Ramos fueron asesinados en varias «sacas» realizadas en las cárceles de Madrid.

Franco pensaba en un partido que le ayudara a concentrar todavía más el poder en su persona. También le presionaban en esa dirección los fascistas italianos. Entonces apareció en Salamanca Ramón Serrano Súñer, tras lograr escapar del Madrid rojo. Diputado de la CEDA, casado con la hermana menor de Carmen Polo y amigo íntimo de José Antonio. Era la persona idónea para sentar los cimientos jurídicos de la Nueva España, para crear una maquinaria política permanente, un nuevo Estado similar al de los fascismos. El plan de Serrano Súñer consistía en crear un movimiento político de masas a partir de la unión de Falange y la Comunión Tradicionalista Carlista.

El 19 de abril de 1937 se dio a conocer el decreto de unificación. Falange Española y los requetés se unían bajo la jefatura de Franco en una «sola entidad política nacional», Falange Española Tradicionalista y de las JONS. Todos los demás grupos políticos que habían sustentado también el esfuerzo bélico de los rebeldes, incluidos los alfonsinos y los cedistas, quedaban excluidos. En realidad, las estructuras jerárquicas de falangistas y requetés desaparecían también porque el supremo jefe, a partir de ese momento, era Franco. El 25 de abril, Manuel Hedilla fue arrestado junto con otros falangistas disidentes y condenado a muerte. Franco le indultó, pero pasó cuatro años en la cárcel. Dado el control que Franco tenía de la situación, había poca posibilidad de resistencia. La nueva Falange fue desde el principio un partido dominado por Franco, que culminaba así la eliminación de cualquier rival político.

Por si el camino no lo tuviera Franco suficientemente despejado, apenas un mes y medio después de la unificación desapareció también el único competidor con alguna posibilidad que quedaba. El 3 de junio de 1937 el avión que llevaba al general Emilio Mola a inspeccionar el frente, en plena campaña para la conquista del norte, se estrelló cerca de Alcocero, un pueblecito de la provincia de Burgos.

Pese a que Franco era el jefe indiscutible y la unificación trató de dar satisfacción a los diferentes grupos del bando insurgente, la Falange salió al principio muy beneficiada y sus dirigentes ocuparon los puestos más importantes en la Administración y en el partido. A principios de diciembre Franco nombró al primer secretario de la FET y de las JONS, un puesto que recayó en Raimundo Fernández Cuesta, el «camisa vieja» más relevante que quedaba. Las principales delegaciones nacionales del nuevo partido fueron a parar también a ex falangistas de José Antonio: la Sección Femenina a Pilar Primo de Rivera; Prensa y Propaganda al cura navarro Fermín Yzurdiaga; Auxilio Social a Mercedes Sanz Bachiller. Ningún antiguo jerarca de Falange, con la excepción de algunos hedillistas, se quedó fuera del reparto del pastel. Allí estaban Dionisio Ridruejo, Alfonso García Valdecasas, José Antonio Giménez Arnau, Pedro Gamero del Castillo, Antonio Tovar o Julián Pemartín.

El «Estado campamental» dejó paso gradualmente a una burocracia más organizada. El 30 de noviembre de 1938 Franco nombró su primer Gobierno, cuya composición había cocinado Serrano Súñer. Los cargos, como pasaría ya siempre en todos los Gobiernos franquistas posteriores, fueron repartidos cuidadosamente entre militares, carlistas, falangistas y monárquicos, es decir, entre todos los sectores que formaban esa coalición de fuerzas que se levantó en armas contra la República en julio de 1936. El principal fruto político de esa nueva etapa fue la aprobación el 9 de marzo de 1938 del Fuero del Trabajo, una especie de falsa Constitución basada en la *Carta del lavoro* del fascismo italiano. Fue un texto de compromiso entre el falangismo, representado por Ridruejo, y el tradicionalismo católico.

Fascismo y catolicismo, de esos mimbres estaba formado ese nuevo Estado que emergió conforme la guerra avanzaba. Por un lado, se exaltaba al líder, Caudillo, como el Führer o el Duce, se imponía el brazo en alto como saludo nacional y la camisa azul; por el otro, aparecían los ritos y las manifestaciones religiosas, las procesiones, misas de campaña y las ceremonias político-religiosas de tipo medievalizante. La radicalización que el fascismo aportó a los proyectos y prácticas contrarrevolucionarios, su potencial totalitario y la experiencia de la guerra de exterminio puesta en marcha por los militares rebeldes desde julio de 1936, se fusionaron con la restauración de esa consustancialidad histórica entre el catolicismo y la identidad nacional española. El catolicismo era el antídoto perfecto frente a la República laica, el separatismo y las ideologías revolucionarias. Se convirtió en el vínculo perfecto para todos los que se adhirieron al bando rebelde, desde los más fascistas a quienes se habían proclamado como republicanos de derechas.

Campos de batalla

En los tres meses que siguieron a la sublevación de julio de 1936, la guerra fue una lucha entre milicianos armados, que carecían de los elementos básicos que caracterizan a los ejércitos, y un poder militar que concentraba todos los recursos a golpe de autoridad y disciplina y que pudo contar casi desde el principio con los efectivos bien adiestrados del ejército de África.

La batalla de Madrid, en noviembre de ese año, inauguró una nueva forma de hacer la guerra y transformó a ese grupo de milicianos en soldados de un nuevo ejército. A mediados de octubre de 1936, las tropas de los militares rebeldes, que disponían ya de abundantes piezas de artillería y carros blindados italianos, habían ocupado la mayoría de las poblaciones alrededor de Madrid. Los milicianos, atemorizados por el avance del ejército de África, se replegaban hacia la capital y a ella acudían también cientos de refugiados de las localidades ocupadas. El 29 de octubre aparecieron en Madrid los primeros carros de combate y aviones soviéticos que el Kremlin había decidido enviar para contrarrestar la ayuda italiana y alemana.

El 8 de noviembre los milicianos y los moros luchaban cuerpo a cuerpo en la Ciudad Universitaria. Dos semanas después, Franco y Varela tuvieron que detener los asaltos frontales. Aunque el héroe popular de la defensa de Madrid pudo ser el general José Miaja, de los aspectos técnicos y militares se ocupó Vicente Rojo, un militar que se mantuvo fiel a la República porque creía que ése era su deber y que se convirtió meses después en el jefe de su ejército. Junto a Rojo, existió un grupo de militares profesionales, como Juan Hernández Sarabia, Antonio Escobar, Francisco Llano de la Encomienda, José Fontán o Manuel Matallana, que mantuvieron su lealtad a las instituciones de la República y, sin embargo, han padecido el olvido. Pese a que muchos de ellos fueron los últimos en abandonar España, la literatura más radical del exilio, anarquista y socialista, los tachó de traidores, franquistas o de meras marionetas del estalinismo.

A comienzos de 1937 las fuerzas republicanas sumaban casi 350.000 hombres, una cifra muy similar a los efectivos del ejército franquista, aunque éste contaba con el importantísimo auxilio de cerca de ochenta mil italianos organizados en el Corpo di Truppe Volontarie (CTV) al mando del general Mario Roatta y de varios miles de alemanes que sirvieron desde noviembre de 1936 en la Legión Cóndor, y en los refuerzos terrestres de antitanques y artillería. Fueron precisamente italianos los que entraron en Málaga el 8 de febrero de 1937. Dos días antes, varias decenas de miles de ciudadanos, hombres, mujeres, ancianos y niños, habían emprendido una auténtica desbandada hacia Almería, para evitar las represalias y las razias de los conquistadores. La aviación y los buques *Cervera* y *Baleares* los bombardearon y el camino se cubrió de muertos y heridos, mientras que muchas familias perdían a sus niños en la huida.

Franco, mientras tanto, había comenzado a preparar una nueva ofensiva contra Madrid, a través del valle del río Jarama, sobre la carretera de Madrid a Valencia. Esa operación debería completarse con un ataque de las tropas italianas del CTV desde Sigüenza hacia Guadalajara para cercar Madrid en un movimiento de pinza. Durante tres semanas de febrero, desde el 6 hasta final de mes, ambos bandos contendientes perdieron miles de hombres y aunque los franquistas consiguieron hacer avanzar el frente algunos kilómetros, la batalla del Jarama fue bastante estéril. Unos días después, el 8 de marzo, la división motorizada del general Amerigo Coppi comenzó su ataque, pero se vio sorprendida por una gran tormenta de nieve y en unos pocos días sufrió una estrepitosa derrota.

Los sucesivos fracasos en el intento de tomar Madrid hicieron cambiar la estrategia de Franco, quien optó a partir de ese momento por una guerra larga, de desgaste, de aplastamiento gradual del enemigo. Poseía todas las bazas y ventajas para aplicar esa estrategia militar. Tenía abundantes hombres, facilitados por la preservación del sistema tradicional de reclutamiento y por los numerosos voluntarios marroquíes que seguían incrementando el ejército de África. Pero sobre todo contaba con la seguridad de que el panorama internacional de apoyo italo-germano a su causa y de abandono de la República por las democracias occidentales no iba a moverse.

El objetivo de los militares franquistas pasó a ser ahora el norte industrial y minero, que estaba aislado del resto de la zona republicana. Mola inició su campaña a final del mes de marzo con masivos bombardeos de la Legión Cóndor para romper la moral de la población civil y destruir las comunicaciones terrestres. Primero Durango, el 31 de marzo; después, Gernika el 26 de abril. El 19 de junio entraron en Bilbao. La España una, grande y libre se extendió después a Santander y en octubre a la zona roja de Asturias. Con la caída del norte industrial, la balanza del poder comenzaba a inclinarse claramente del lado franquista. El coronel Vicente Rojo, recién nombrado jefe del Estado Mayor del Ejército de la República, organizó una estrategia defensiva que trataba de limitar en la medida de lo posible el avance franquista. Ése fue el objetivo de las ofensivas de distracción montadas por sorpresa en Brunete, en julio de 1937, para detener el avance franquista sobre Santander; en Belchite, en agosto y septiembre, para frenar la conquista de Asturias; y en Teruel, en diciembre de 1937, para contrarrestar la prevista ofensiva franquista sobre Madrid.

El 7 de enero de 1938 las tropas republicanas tomaron Teruel, la única capital de provincia tomada por los republicanos durante la guerra, aunque fue reconquistado el 22 de febrero por las tropas mandadas por el general Juan Vigón. Acabó así una de las batallas más crueles de la Guerra Civil, con cuarenta mil bajas franquistas y más de sesenta mil republicanos. Los dos ejércitos tenían en ese momento la misma cantidad de hombres movilizados, casi 800.000 cada uno, pero la superioridad material franquista era abrumadora. La verdad es que el estado en que habían quedado las tropas republicanas era preocupante y se demostró muy pronto, tan sólo unos días después, en la gran ofensiva que los militares franquistas iniciaron, a través de Aragón y Castellón, hasta el mar. El 9 de marzo, unos 150.000 hombres, apoyados por centenares de piezas de artillería y de aviones de la Legión Cóndor y de la Aviazione Legionaria, comenzaron a avanzar por el territorio aragonés. La campaña acabó el 15 de abril, con los franquistas en el mar Mediterráneo.

Partida en dos, acosada por una grave crisis económica y con la moral por los suelos, la República sufría. Había de defenderse, resistir, impedir al menos un derrumbamiento rápido y esperar a que los vientos internacionales tan contrarios cambiaran de dirección. Las tropas franquistas estaban a menos de cincuenta kilómetros de Valencia, en la que Franco decía que entraría el 25 de julio, festividad de Santiago Apóstol. Y en esa noche del 24 al 25, varias unidades del ejército republicano, al mando del comunista Juan Modesto, cruzaron el río Ebro en botes, siguiendo el plan trazado por el general Rojo para juntar de nuevo el Levante con Cataluña. Comenzó así la batalla del Ebro, la más larga y dura de toda la guerra. El avance inicial, como solía ser normal en esas acciones republicanas, fue considerable, pero pronto, también como siempre, quedó detenido. Y Franco actuó como lo hizo en anteriores ocasiones, en Brunete, Belchite o Teruel, y emprendió la reconquista del territorio cedido.

La batalla pareció al principio una victoria táctica de los republicanos, que habían frenado la ofensiva franquista sobre Valencia, pero fue, en casi todo su desarrollo, una batalla defensiva que buscaba más cansar al adversario, obligarle a negociar una victoria menos incondicional, que derrotarle, algo imposible. Lucharon durante casi cuatro meses, hasta el 16 de noviembre, 250.000 hombres. Los franquistas perdieron más de treinta mil y los republicanos el doble, aunque los principales historiadores militares no se ponen de acuerdo en el número exacto de muertos, unos trece mil en total, repartidos casi a partes iguales entre los dos bandos. La República había perdido lo mejor de su Ejército y poco después perdió toda Cataluña. La República parecía ya derrotada, sobre todo porque el pacto de Múnich, firmado a finales de septiembre y que dejaba a Hitler avanzar libremente sobre Checoslovaquia, quebró la estrategia de resistencia de Negrín y demostró que las democracias no querían cambiar su política de apaciguar a las potencias fascistas.

La derrota de la República

El final de la República estaba ya cantado desde el pacto de Múnich y el desenlace de la batalla del Ebro, pero sus tres últimos meses de vida fueron agónicos. Toda Cataluña cayó rendida a los pies de las tropas de Franco en apenas un mes, en medio de la exaltación patriótica y religiosa. A mediados de enero de 1939 entraban en Tarragona y el 26 en Barcelona.

Las tropas republicanas se retiraron hacia la frontera francesa de forma desorganizada. Las bombas y los ametrallamientos de la aviación franquista causaron numerosos muertos y heridos. Con la caída de Barcelona y la conquista total de Cataluña, la República agonizaba. Los Gobiernos de Gran Bretaña y de Francia reconocieron por fin oficialmente al de Franco y el 27 de febrero de 1939 Manuel Azaña, que había pasado ya a Francia tres semanas antes, dimitió como presidente de la República. Unos días después, el golpe del coronel Segismundo Casado empeoró las cosas.

El golpe de Casado no fue sólo la culminación de un conflicto político sino también la sublevación de los mandos profesionales contra el Gobierno republicano, al que le negaban legitimidad. Inauguró una desesperada y costosa lucha fratricida en esa República moribunda, con ramificaciones en otras partes de la zona central y en Cartagena, y no consiguió ninguna «paz honrosa», sino una rendición sin condiciones, lo que Franco, los militares, las autoridades civiles y la Iglesia católica habían anunciado insistentemente, es decir, el aniquilamiento del régimen republicano y de sus partidarios.

«En el día de hoy, cautivo y desarmado el Ejército rojo, nuestras tropas victoriosas han alcanzado sus últimos objetivos militares. La guerra ha terminado», decía el último parte oficial emitido desde el cuartel general de Franco el 1 de abril de 1939. Su superioridad material le había conducido al triunfo definitivo. El balance de los desastres de la guerra no ofrece dudas: antes de perderla, la República había sido castigada de forma lenta, con batallas que dejaban a sus tropas diezmadas y con una represión brutal tras la entrada del ejército de Franco en cada ciudad conquistada.

Atrás había quedado una guerra de casi mil días, que dejó cicatrices duraderas en la sociedad española. El total de víctimas mortales se aproximó a las 600.000, de las cuales 100.000 corresponden a la represión desencadenada por los militares sublevados y 55.000 a la violencia en la zona republicana. Medio millón de personas se amontonaban en las prisiones y campos de concentración. La Guerra Civil española fue la primera de las guerras del siglo XX en que la aviación se utilizó de forma premeditada en operaciones de bombardeo en la retaguardia. La intervención extranjera mandó por el cielo español a los S-81 y S-79 italianos, a los He-111 alemanes y a los «Katiuskas rusos», convirtiendo a España en un campo de pruebas para la gran guerra mundial que se preparaba. Madrid, Durango, Gernika, Alcañiz, Lérida, Barcelona, Valencia, Alicante o Cartagena, entre otras muchas ciudades, vieron cómo sus poblaciones indefensas se convertían en objetivo militar.

El éxodo que emprendió la población vencida dejó también huella. «La retirada», como se conoció a ese gran exilio de 1939, llevó a Francia a unos 450.000 refugiados en el primer trimestre de ese año, de los cuales 170.000 eran mujeres, niños y ancianos. Unos 200.000 volvieron en los meses siguientes, para continuar su calvario en las cárceles de la dictadura franquista. Los tres presidentes de Gobierno que tuvo la República en guerra murieron en el exilio: José Giral en México, en 1962; Francisco Largo Caballero en París, en 1946, tras haber pasado por el campo de concentración nazi de Orianenburg; y en la misma ciudad murió Juan Negrín en 1956. Manuel Azaña, el presidente de la República y el político más importante de la España de los años treinta, murió en Montauban, Francia, el 3 de noviembre de 1940.

España vivió a partir de abril de 1939 la paz de Franco, las consecuencias de la guerra y de quienes la causaron. España quedó dividida entre vencedores y vencidos. Las iglesias se llenaron desde antes del final de la guerra de placas conmemorativas de los «caídos por Dios y por la Patria». Por el contrario, miles de asesinados por la violencia iniciada por los militares sublevados en julio de 1936 nunca fueron inscritos ni recordados con una mísera lápida y sus familiares andan todavía buscando sus restos. El proyecto reformista de la República y todo lo que esa forma de gobierno significaba fue barrido y esparcido por las tumbas de miles de ciudadanos.

La República se encontró con la tremenda adversidad de tener que hacer la guerra a unos militares sublevados que se beneficiaron desde el principio de esa situación internacional tan favorable a sus intereses. Las dictaduras dominadas por gobiernos autoritarios de un solo hombre y de un único partido estaban sustituyendo entonces a las democracias en muchos países europeos y, si se exceptúa el caso ruso, todas esas dictaduras salían de las ideas del orden y de la autoridad de la extrema derecha. Seis de las democracias más sólidas del continente fueron invadidas por los nazis al año siguiente de acabar la Guerra Civil. España no era, en consecuencia, una excepción ni el único país donde el discurso del orden y del nacionalismo extremo se imponían al de la democracia y de la revolución. La victoria de Franco fue también una victoria de Hitler y de Mussolini. Y la derrota de la República fue asimismo una derrota para las democracias.

LA DICTADURA DE FRANCO

CAPÍTULO 10

LA PAZ DE FRANCO

A la Guerra Civil española le siguió una larga paz incivil y en esa larga y sangrienta dictadura reside la gran excepcionalidad de la historia de España del siglo XX si se compara con otros países europeos capitalistas. Los vencedores de la guerra decidieron durante años y años la suerte de los vencidos. El exterminio del contrario en la guerra dio paso a la centralización y control de la violencia por parte de la autoridad militar, un terror institucionalizado y amparado por la legislación represiva del nuevo Estado. Ese Estado de terror, continuación del Estado de guerra, transformó la sociedad española, destruyó familias enteras e inundó la vida cotidiana de prácticas coercitivas y de castigo. Como han demostrado diversos estudios, la violencia fue la médula espinal de la dictadura de Franco.

Vencedores y vencidos

Tras el final oficial de la guerra, el 1 de abril de 1939, la destrucción del vencido se convirtió en prioridad absoluta. Comenzó en ese momento un nuevo período de ejecuciones masivas, de cárcel y tortura para miles de hombres y mujeres, especialmente en aquellas provincias conquistadas por el ejército de Franco en los tres últimos meses de la guerra.

El desmoronamiento del ejército republicano en la primavera de 1939 llevó a varios centenares de miles de soldados vencidos a cárceles e improvisados campos de concentración. A finales de 1939 y durante 1940 las fuentes oficiales daban más de 270.000 reclusos, una cifra que descendió de forma continua en los dos años siguientes debido a las numerosas ejecuciones y a los miles de muertos por enfermedad y desnutrición. Al menos 50.000 personas fueron ejecutadas en la década posterior al final de la guerra.

La principal característica del terror que se impuso en la posguerra es que estaba organizado desde arriba, basado en la jurisdicción militar, en juicios y consejos de guerra. Tras la típica explosión de venganza en las ciudades recién conquistadas, los «paseos» y las actuaciones de poderes autónomos, como los escuadrones de falangistas, dejaron paso al monopolio de la violencia del nuevo Estado, que puso en marcha mecanismos extraordinarios de terror sancionados y legitimados por leyes. Con la jurisdicción militar a pleno rendimiento, se impuso un terror frío, administrativo y rutinario. Los consejos de guerra, por los que pasaron decenas de miles de personas entre 1939 y 1945, eran meras farsas jurídicas, que nada tenían que probar, porque ya estaba demostrado de entrada que los acusados eran rojos y, por lo tanto, culpables.

El primer asalto de la violencia vengadora sobre la que se asentó el franquismo empezó el 9 de febrero de 1939, con la promulgación de la Ley de Responsabilidades Políticas. La puesta en marcha de ese engranaje represivo y confiscador causó estragos entre los vencidos y los rojos, abriendo la veda para una persecución arbitraria y extrajudicial que en la vida cotidiana desembocó muy a menudo en el saqueo y en el pillaje. Hasta octubre de 1941 se habían abierto 125.286 expedientes y unas 200.000 personas más sufrieron la «fuerza de la justicia» de esa ley en los años siguientes.

El sistema represivo procesal levantado tras la guerra, consistente en la multiplicación de órganos jurisdiccionales especiales, mantuvo su continuidad durante toda la dictadura. Cuando una ley era derogada, la nueva normativa reiteraba el carácter represor de la anterior. Es lo que pasó con la Ley de Seguridad del Estado de 29 de marzo de 1941, sustituida por el decreto ley de 13 de abril de 1947 de represión del bandidaje y terrorismo; o con la Ley de Represión de la Masonería y el Comunismo de 1 de marzo de 1940, cuyo Tribunal Especial fue suprimido el 8 de marzo de 1964, aunque, en realidad, una buena parte de sus atribuciones fueron asumidas desde 1963 por el Tribunal de Orden Público. Murió Franco y allí estaba todavía el TOP, disuelto finalmente por un decreto ley de 4 de enero de 1977.

Mantener en la cárcel durante tanto tiempo a tantos prisioneros, torturarlos, dejarles morir de hambre y de epidemias, no fue, como la dura represión de posguerra en general, algo inevitable. Era el castigo necesario para los rojos vencidos y, bajo ese supuesto, las sutilezas legales no tenían sentido. En 1943 había todavía más de 100.000 presos. Cerca de 16.000 personas purgaban en ese mismo año sus penas en los 121 destacamentos penales. El sistema de redención de penas por el trabajo resultó también un excelente medio de proporcionar mano de obra barata a muchas empresas y al propio Estado. En las dos décadas de construcción del Valle de los Caídos trabajaron en total unos veinte mil hombres, muchos de ellos, sobre todo hasta 1950, «rojos» cautivos de guerra y prisioneros políticos, explotados por las empresas que obtuvieron las diferentes contratas de construcción. La cárcel y la fábrica, bendecidas por la misma religión, se confundieron en esos primeros años del franquismo y formaron parte del mismo sistema represivo.

Entre las mujeres hubo también vencedoras y vencidas. En 1940 había en España más de veinte mil presas políticas. Los niños formaban parte del mundo interno de las cárceles de mujeres. Muchos de los que sobrevivieron a la cárcel, tras cumplir los cuatro años de edad, fueron separados de sus madres e ingresados en centros de asistencia y escuelas religiosas al amparo del Patronato Central de Redención de Penas por el Trabajo, llamado de Nuestra Señora de la Merced. En 1942 estaban tutelados por ese Patronato 9.050 niños y niñas. En 1943, 10.675. Castigo y miseria para las madres rojas y más de lo mismo para sus hijas. Había que vigilarlas, reeducarlas y purificarlas, con aceite de ricino si era necesario, para que arrojaran los demonios de su cuerpo. La Sección Femenina y la Iglesia se cebaron sobre las rojas y las mujeres de los rojos, hundiéndolas en la miseria moral y física.

Esa maquinaria de terror organizado desde arriba requería, sin embargo, una amplia participación «popular», de informantes, denunciantes y delatores. La purga era, por supuesto, tanto social como política y los poderosos de la comunidad, la gente de orden, las autoridades, aprovecharon la oportunidad para deshacerse de los «indeseables», «animales» y revoltosos. Pero lo que esa minoría quería lo aprobaban muchos más, que veían políticamente necesario el castigo de sus vecinos, a quienes acusaban o no defendían si otros los acusaban.

Eran tiempos de odios personales, de denuncias y de silencio. Colaborar mediante la delación significaba implicarse también en la incoación de la amplia gama de procesos sumariales desplegada por los vencedores. Por eso se insistía tanto en la participación activa y se perseguía y se sancionaba la pasividad. Denunciar «delitos», señalar a los «delincuentes», era cosa de los «buenos patriotas», de quienes estaban forjando la «Nueva España». La denuncia se convirtió así en el primer eslabón de la justicia de Franco.

Los odios, las venganzas y el rencor alimentaron el afán de rapiña sobre los miles de puestos que los asesinados y represaliados habían dejado libres en la administración del Estado, en los ayuntamientos e instituciones provinciales y locales. Una ley de 10 de febrero de 1939 institucionalizó la depuración de los funcionarios públicos, un proceso que los militares rebeldes habían iniciado sin necesidad de leyes en el verano de 1936. Detrás de esa ley, y en general de todo el proceso de depuración, había un doble objetivo: privar de su trabajo y medios de vida a los «desafectos al régimen», un castigo ejemplar que condenaba a los inculpados a la marginación; y, en segundo lugar, asegurar el puesto de trabajo a todos los que habían servido a la causa nacional durante la Guerra Civil y mostraban su fidelidad al Movimiento. Ahí residía una de las bases de apoyo duradero a la dictadura de Franco, la «adhesión inquebrantable» de todos aquellos beneficiados por la victoria.

Un año después de acabada la guerra, la dictadura montó y puso en marcha un sistema de denuncia legal, un instrumento estatal para estimular la delación, que ni siquiera se puso en práctica en la Alemania nazi: la «Causa General informativa de los hechos delictivos y otros aspectos de la vida en la zona roja desde el 18 de julio de 1936 hasta la liberación», creada en abril de 1940. En la práctica, la «Causa General» consiguió varias metas. Aireó y marcó en la memoria de muchos ciudadanos las diferentes manifestaciones del «terror rojo» durante la Guerra Civil. Compensó a las familias de las víctimas de esa violencia, confirmando la división social entre vencedores y vencidos. Y sobre todo se convirtió en el instrumento de delación y persecución de ciudadanos que nada tenían que ver con los hechos. Muchos tuvieron que demostrar lo que no eran, engullir su pasado, borrar toda huella de disidencia o de expresión de la libertad.

Los informes de las fuerzas de seguridad, de los clérigos, de los falangistas, de la gente «ordinaria», los avales y salvoconductos necesarios para vivir, dan testimonio del grado de implicación de la población en ese sistema de terror. Y eso significa, en suma, que el franquismo no sólo vivió de violencia y terror, ni se sostuvo únicamente con la represión. Sin esa participación ciudadana, el terror hubiera quedado reducido a fuerza y coerción. Pasados los años más sangrientos, lo que se manifestó en realidad fue un sistema de autovigilancia donde nada invitaba a la desobediencia y menos aún a la oposición y a la resistencia. Con el paso del tiempo, la violencia y la represión cambiaron de cara, la dictadura evolucionó, «dulcificó» sus métodos y, sin el acoso exterior, pudo descansar, ofrecer un rostro más amable, con un dictador que inauguraba pantanos y repartía aguinaldos a los trabajadores.

Pero por mucho que evolucionara y dulcificara sus métodos, la dictadura nunca quiso quitarse de encima sus orígenes sangrientos, la Guerra Civil como acto fundacional, que recordó una y otra vez para preservar la unidad de esa amplia coalición de vencedores y para mantener en la miseria y en la humillación a los vencidos. Para recordar siempre su victoria en la Guerra Civil, la dictadura de Franco llenó de lugares de memoria el suelo español. Comenzó ese recuerdo ya antes de finalizar la guerra, cuando el decreto que proclamaba «día de luto nacional» el 20 de noviembre, en memoria del fusilamiento de José Antonio Primo de Rivera, establecía que «en los muros de cada parroquia figurará una inscripción que contenga los nombres de los Caídos». Calles, plazas, colegios y hospitales de cientos de pueblos y ciudades llevaron desde entonces los nombres de militares golpistas, dirigentes fascistas de primera o segunda fila y políticos católicos.

La consagración definitiva de la memoria de los vencedores de la Guerra Civil llegó, no obstante, con la construcción del Valle de los Caídos. Aquél era un lugar grandioso, para desafiar «al tiempo y al olvido». Había que recordar la guerra, siempre en guardia contra el enemigo, no cambiar nada, confiar siempre en esas fuerzas armadas que tan bien habían servido a la nación española, utilizar la religión católica como refugio de la tiranía y crueldad de la dictadura. Los otros muertos, los miles de rojos e infieles asesinados durante la guerra y la posguerra, no existían y tenían que ser recordados por sus familias en silencio.

Fascismo

Franco y su ejército mandaron en España a partir del 1 de abril de 1939 y juntos se mantuvieron, sin apenas fisuras, durante casi cuarenta años. En el primer Gobierno nombrado por Franco después de la guerra, el 9 de agosto de 1939, los militares ocuparon cinco de los catorce puestos, entre ellos, y como iba a ser habitual durante toda la dictadura, los entonces creados Ministerio del Ejército, de la Marina y del Aire. Durante los primeros años de la posguerra, hasta la derrota de las potencias del Eje en 1945, los militares tuvieron una importante presencia en cargos ministeriales y en la administración del Estado.

Pero los vientos que soplaban por entonces en Europa eran fascistas, procedentes sobre todo de la Alemania nazi, y eso generó notables tensiones políticas entre los militares y los dirigentes falangistas. En los meses que transcurrieron entre el final de la Guerra Civil y el inicio de la Segunda Guerra Mundial la política exterior franquista se había alineado con las potencias fascistas, adhiriéndose en abril al *Pacto Anti-Comintern*, el acuerdo establecido entre Alemania, Italia y Japón para luchar contra el comunismo. Sin embargo, cuando el Ejército nazi invadió Polonia, y Gran Bretaña y Francia declararon la guerra a Alemania, Franco promulgó un decreto en el que ordenaba «la más estricta neutralidad a los súbditos españoles». Era una política de aparente equidistancia, en un momento en el que ni siquiera Italia había entrado en la guerra, que iba a resultar muy difícil de mantener en aquella Europa tan turbulenta.

La prueba de fuego para esa neutralidad llegó un año después, en la primavera de 1940, con la súbita y victoriosa invasión de Holanda, Bélgica y Francia por el Ejército nazi. Benito Mussolini consideró que ése era el momento oportuno para que Italia entrara en la guerra, para recoger así los frutos de la victoria, y Franco, convencido también del ineludible triunfo fascista, preparó el camino para poder intervenir como beligerante en el reparto del botín imperial a costa de las potencias democráticas. A la espera de poder dar ese crucial paso, el Gobierno de Franco abandonó la «estricta neutralidad» y se declaró, el 13 de junio de 1940, no beligerante, imitando lo que había hecho Mussolini justo hasta ese momento, una fórmula por la que se reconocía explícitamente la simpatía por el bando del Eje.

El problema era la desastrosa situación económica y militar de España, apenas un año después de finalizada la Guerra Civil, y las ambiciosas peticiones que Franco reclamaba como premio. Franco pidió a Hitler Gibraltar, el Marrueco francés, el Oranesado (región noroccidental de Argelia) y el suministro de alimentos, petróleo y armas. Los alemanes no valoraban positivamente la beligerancia española, porque la consideraban una carga económica y militar, y plantearon además la exigencia de establecer bases militares en las islas Canarias. Así las cosas, las dos delegaciones diplomáticas acordaron tratar los puntos fundamentales de la negociación en un encuentro entre el Führer y el Caudillo. El histórico encuentro se celebró en Hendaya el miércoles 23 de octubre de 1940 en el *Erika*, el tren especial del Führer. Hitler no aceptó las exigencias de Franco y España no entró en la guerra, porque no podía, dada su desastrosa situación económica y militar, y porque su intervención tenía costes demasiado altos para que Hitler, y Mussolini, con quien Franco se entrevistó en Bordighera en febrero de 1941, pudieran aceptarla. Hitler y Mussolini siempre consideraron a Franco como el dictador de un país débil que apenas contaba en las relaciones internacionales. Otra cosa es lo que dijo la propaganda franquista, hasta convertirlo en un mito que todavía se repite hoy: que Franco, con habilidad y prudencia, burló y resistió las amenazas del líder nazi, consiguiendo que España no participara en la Segunda Guerra Mundial.

El fervor de Franco y del sector más fascista de su dictadura por la causa nazi y contra el comunismo se manifestó, pese a la no beligerancia oficial española, en la creación de la División Azul. Cuando en junio de 1941 comenzó la

Operación Barbarroja y las tropas alemanas invadieron la Unión Soviética, miles de falangistas, militares y excombatientes en la Guerra Civil española vieron la oportunidad de continuar en territorio ruso la cruzada antibolchevique. Por esa División, mandada por el general falangista Agustín Muñoz Grandes, llegaron a pasar cerca de 47.000 combatientes, que estuvieron en el frente norte ruso y en el asedio a Leningrado. Cobraban los haberes de un soldado alemán, además de un subsidio que recibían sus familias, y se les prometió trabajo a su regreso, aunque cinco mil de ellos murieron en combate en aquel frente oriental.

Los aires fascistas soplaron también en esos años en la política interior de la dictadura, que vivió su período máximo de fascistización. Fue también el momento de mayor poder y gloria para Ramón Serrano Súñer, ministro de Gobernación desde enero de 1938, un cargo que no abandonó hasta mayo de 1941, jefe de la Junta Política de la entonces influyente Falange y ministro de Asuntos Exteriores desde el 16 de octubre de 1940. Serrano Súñer tuvo también un papel destacado en la persecución de los republicanos españoles refugiados entonces en Francia y pactó con Himmler una estrecha colaboración entre la Gestapo y la policía franquista. La invasión de Francia por parte de las tropas alemanas, iniciada el 10 de mayo de 1940, había permitido la captura de miles de republicanos españoles refugiados en territorio francés desde la conquista de Cataluña por las tropas de Franco y el final de la Guerra Civil. Muchos acabaron en campos de concentración nazis, especialmente en Mauthausen, y varios miles más lucharon su segunda guerra contra el fascismo enrolados en diferentes batallones franceses.

La calamitosa situación económica de España había condicionado la decisión de Franco en sus negociaciones con Hitler y marcó la vida de millones de ciudadanos durante más de una década. Los datos sobre los costes económicos y sociales de esa larga posguerra son concluyentes. Los salarios se mantuvieron por debajo del nivel de preguerra durante toda la década de los cuarenta. Los precios aumentaron, a ritmo de brotes inflacionistas, desde un 13 por ciento de media en los primeros años hasta el 23 por ciento en el bienio 1950-1951. La renta per cápita apenas progresó hasta 1950 y el máximo productivo de preguerra en el sector industrial no se recuperó hasta 1952. El franquismo, como han demostrado solventes investigaciones, no trajo la modernización de la economía española sino que, por el contrario, bloqueó el proceso de crecimiento abierto desde el primer tercio del siglo XX.

En esa España de penuria, hambre, cartillas de racionamiento, estraperlo y altas tasas de mortandad por enfermedades, la militarización, el orden y la disciplina se adueñaron del mundo laboral. Así las cosas, la protesta obrera abierta resultaba imposible. Los fusilamientos en los cementerios, las cárceles, los campos de concentración y el exilio dejaron fuera de la lucha a los más activos. La violencia cotidiana, el hambre, la necesidad de subsistir y el control sindical hicieron el resto. La derrota y persecución del movimiento obrero allanó el camino para la creación de la Organización Sindical Española (OSE). El aparato sindical franquista fue una pieza esencial de la dictadura para someter a la clase obrera y eliminar la lucha de clases. La OSE la componían 28 corporaciones laborales o *sindicatos verticales*, que agrupaban a trabajadores y empresarios por ramos de producción, controlados por la burocracia falangista.

La voluntad de control de la opinión pública se manifestó en la puesta en marcha de una extensa cadena de Prensa del Movimiento, de una red de emisoras de radio y de un Noticiario Documental (NO-DO) de obligada proyección en todos los cines. La Ley de Prensa de 22 de abril de 1938, que imponía el control gubernativo absoluto sobre los medios de comunicación con la censura previa, estuvo vigente hasta 1966.

Los dirigentes del partido único, Falange Española Tradicionalista y de las JONS, también denominado Movimiento Nacional, ocupaban, junto con los militares, los altos cargos de la Administración central y eran también falangistas muchos de los gobernadores civiles, alcaldes y concejales. Las principales secciones de la organización se convirtieron en instituciones estatales. El SEU fue el instrumento de control de los universitarios, el Frente de Juventudes se encargó de la educación política y paramilitar de miles de jóvenes y la Sección Femenina, dirigida por Pilar Primo de Rivera, hermana del fundador de Falange, formó a las mujeres españolas en la sumisión y subordinación a los hombres. Desde mayo de 1940, todas las mujeres tenían que prestar un Servicio Social de un mínimo de seis meses, con el que se obtenía un certificado imprescindible para ejercer una profesión, alcanzar títulos académicos o conseguir un pasaporte.

La creciente influencia de Falange dentro del Estado provocó tensiones con algunos militares y fue la causa de la única crisis política seria que vivió la dictadura en sus primeros años. El 16 de agosto de 1942, el general José Enrique Varela, ministro del Ejército, presidió la ceremonia anual que se celebraba en el santuario de la Virgen de Begoña, en Vizcaya, para recordar a los requetés caídos durante la Guerra Civil. Después de la misa, hubo unos choques entre los carlistas y un grupo de falangistas que acudieron allí con armas y granadas de mano. Uno de los falangistas, Juan Domínguez, hirió con una de las granadas a varias personas. Varela divulgó el incidente como un ataque al Ejército y logró que el agresor fuera ejecutado. Franco, que había defendido a los falangistas, consintió la ejecución, pero destituyó también a Valera y Galarza por avivar el fuego antifalangista en el Ejército. Luis Carrero Blanco, un capitán de fragata que era desde el año anterior subsecretario de la Presidencia del Gobierno, persuadió a Franco de que el necesario equilibrio exigía apartar a Serrano Súñer del poder. El 3 de septiembre Franco destituyó a su cuñado como ministro de Asuntos Exteriores. El cese de Serrano Súñer fue un triunfo de los militares que allanó también el camino para la domesticación de Falange.

En realidad, la posibilidad de que hubiera una conspiración seria para retirar a Franco del poder era impensable. Todos los generales habían ganado la guerra y nadie iba a arriesgar su carrera abriendo la puerta a un posible conflicto en el que nunca sería secundado por los oficiales de rango medio, esos coroneles, comandantes y capitanes que pertenecían a la generación que había estudiado en la Academia General Militar de Zaragoza cuando Franco era su director, desde 1927 a 1931, y que mostraban una lealtad incondicional hacia el Caudillo como salvador de España.

La suerte de la Segunda Guerra Mundial estaba, además, cambiando y, tras la entrada de Estados Unidos en el bando aliado en diciembre de 1941 y las dificultades alemanas en el frente ruso, ya no estaba tan claro que las potencias del Eje pudieran ganar la guerra fácilmente. El desembarco de las fuerzas aliadas en Sicilia, el 9 de julio de 1943, y la destitución de Mussolini unos días después aconsejaban abandonar la no beligerancia de los últimos tres años. El 1 de octubre de 1943 Franco proclamó de nuevo la «estricta neutralidad» de España en la guerra y anunció la retirada de la División Azul de la URSS. A partir de ese momento, decidido a sobrevivir al fascismo en Europa, la propaganda de la dictadura comenzó a presentar a Franco como un estadista neutral e imparcial que había sabido librar a España del desastre de la Segunda Guerra Mundial. Había que desprenderse de las apariencias fascistas y resaltar la base católica, la identificación esencial entre el catolicismo y la tradición española.

Catolicismo

El catolicismo, que había cohesionado a las diferentes fuerzas del bando sublevado durante la Guerra Civil, cumplió en la victoria una función similar. Isidro Gomá, cardenal de Toledo y primado de España, uno de los artífices de la conversión de la Guerra Civil en cruzada, murió el

22 de agosto de 1940. Le sustituyó Enrique Pla y Deniel, otro de los ideólogos de la cruzada, convencido de que la Guerra Civil española había sido un plebiscito armado, que la represión de posguerra era una «operación quirúrgica en el cuerpo social de España» y que, vencidas las potencias fascistas, no había nada que revisar.

La jerarquía eclesiástica se planteó muy en serio el objetivo de recatolizar España a través de la educación. Contaron para ello con intelectuales católicos fascistizados, a quienes Franco entregó el Ministerio de Educación. En su primer Gobierno, nombrado el 30 de enero de 1938, el cargo se lo dio a Sainz Rodríguez, un catedrático de Universidad de la extrema derecha alfonsina. Acabada la guerra, cuando Franco formó su segundo Gobierno, el 9 de agosto de 1939, José Ibáñez Martín fue el elegido. Se mantuvo al frente del Ministerio hasta 1951, doce años en los que tuvo tiempo de culminar la depuración del Magisterio iniciada durante la guerra, de catolizar la escuela y de favorecer con generosas subvenciones a las escuelas de la Iglesia.

Las escuelas españolas, después de una purga ingente, se convirtieron en un botín de guerra repartido entre las familias católicas, falangistas y excombatientes. La inhabilitación y las sanciones afectaron también de lleno a los profesores de Universidad, cuyos puestos se los distribuyeron los propagandistas católicos y el Opus Dei. No se contentaron con delatar y perseguir a los profesores republicanos y copar los mejores puestos. Ejercieron de censores, implantaron en la enseñanza, desde la primaria a la universitaria, una moral religiosa rígida y autoritaria. La Iglesia era el alma del nuevo Estado. La Iglesia y la religión católica lo inundaron todo: la enseñanza, las costumbres, la Administración y los centros de poder.

Las mujeres fueron relegadas a las «labores de su sexo», privadas de cualquier autonomía jurídica, económica y cultural y condenadas a la obediencia y al sacrificio. La preocupación que la censura religiosa y las dirigentes de Acción Católica mostraron por la moralidad pública, la decencia y la castidad fue obsesiva y contrastaba con el trato que se daba a las rojas y vencidas, con el rapado y el aceite de ricino. Recatolizar España con rosarios, misiones populares, campañas de moralidad contra la blasfemia, cursillos de cristiandad y ejercicios espirituales. Los seminarios y los internados de curas se llenaban de niños y adolescentes dispuestos a imbuirse de catolicismo militante.

Al cardenal Francesc Vidal i Barraquer, arzobispo de Tarragona, que se había negado a firmar la pastoral colectiva del Episcopado español, el Gobierno de Franco le prohibió volver a su sede. No pensaba como él, no obstante, la mayoría del clero católico español, un clero envejecido, educado en el integrismo, poco culto y nada sensible a los problemas sociales, al que la guerra y la victoria convirtieron en poderoso guardián de la moral pública, sumiso al Caudillo y agradecido por los muchos beneficios obtenidos. Los cuarenta y seis obispos que estaban en sus sedes al final de la guerra habían bendecido la cruzada y se sumaron con fervor y entusiasmo a la construcción del nuevo Estado. Nada se movió en la Iglesia en esos primeros veinticinco años de la paz de Franco, aunque debió compartir sus parcelas de poder con falangistas, fuerzas armadas y los viejos y nuevos caciques.

Esa simbiosis entre la patria y la religión, el nacionalcatolicismo, se cimentó tras la sublevación militar de julio de 1936 como aglutinante de los heterogéneos grupos del bando rebelde. El nacionalcatolicismo, como antídoto perfecto frente a la República laica, el separatismo y las ideologías revolucionarias, tuvo un significado específico para burgueses y terratenientes, para los militares y para un amplio sector de pequeños propietarios rurales y clases medias urbanas. Resultó una ideología eficaz para la movilización de todos esos grupos que se propusieron desterrar los conflictos sociales y darles una solución quirúrgica.

Durante un tiempo, hasta la derrota de las potencias del Eje, el fascismo y el catolicismo fueron compatibles, en las declaraciones y en la práctica diaria, en los proyectos que germinaron en el bando rebelde y en la forma de gobernar y de vivir que impusieron los vencedores. La combinación de elementos novedosos y modernos con los atributos tradicionales de religiosidad y de populismo rural contribuyó aparentemente a situar en la escena pública importantes diferencias retóricas, tácticas y de estilo, pero nunca alteró los principios antisocialistas y de hostilidad hacia la democracia republicana que habían cimentado la poderosa coalición reaccionaria que salió vencedora de la Guerra Civil.

El Ejército, la Falange y la Iglesia representaban a esos vencedores y de ellos salieron el alto personal dirigente, el sistema de poder local y los fieles siervos de la Administración. Esas tres burocracias rivalizaron entre ellas por incrementar las parcelas de poder. En la España de Franco el poder no residía en el partido, sino en el tradicional aparato del Estado, empezando por sus fuerzas armadas, en la Iglesia católica, en los propietarios, muchos de ellos convertidos al falangismo, y, por supuesto, en Francisco Franco, Generalísimo y Caudillo.

Tras la caída de los fascismos en Europa, la defensa del catolicismo como un componente básico de la historia de España sirvió a la dictadura de pantalla en ese período crucial para su supervivencia. La jerarquía eclesiástica y los dirigentes católicos vieron la posibilidad única de ampliar su poder y consolidar su proyecto y decidieron entrar de manera oficial en el Gobierno y en los órganos consultivos del Estado. Alberto Martín Artajo, antiguo diputado de la CEDA y presidente de Acción Católica, fue el hombre clave en esa iniciativa. El 18 de julio de 1945 Franco amplió la presencia de los católicos en su Gobierno. Mantuvo a Ibáñez Martín en Educación y nombró como ministro de Obras Públicas a José María Fernández Ladreda y de Asuntos Exteriores a Alberto Martín Artajo. En tiempos de «ostracismo internacional», y con la necesidad de quitarse la mácula fascista de encima, había que establecer relaciones con el exterior por el camino más directo, vendiendo catolicismo español, lo cual significaba vender entre otras muchas cosas tradición y anticomunismo.

En resumen, los antiguos políticos de la CEDA y miembros relevantes de la ACNP contribuyeron de forma decisiva a institucionalizar el nuevo Estado de la España de los vencedores. El entramado político que emergió de la guerra «armonizó» lo mejor de la tradición española con formas modernas de movilización de masas propias de la parafernalia y de la simbología fascistas, presente en las procesiones, en las escuelas, en la Acción Católica, en las parroquias, en el púlpito y hasta en las cárceles. La Iglesia se ajustó a la perfección a la dictadura, fascista o no, y comprobó, en ese caminar diario por la regeneración católica, cómo perduraban sus discursos, sus elites dirigentes y sus asociaciones.

Cayeron los fascismos y Franco siguió, aunque su dictadura tuvo que vivir unos años de ostracismo internacional. El 19 de junio de 1945, la conferencia fundacional de la Organización de Naciones Unidas (ONU), celebrada en San Francisco, aprobó una propuesta mexicana que vetaba expresamente el ingreso de España en el nuevo organismo. A ese veto siguieron diferentes condenas, el cierre de la frontera francesa o la retirada de embajadores, pero nunca llegaría lo que esperaban muchos republicanos en el exilio y en la propia España: que las potencias democráticas expulsaran a Franco por ser un sangriento dictador, elevado al poder con la ayuda de las armas de la Alemania nazi y de la Italia fascista. Por muy democráticas que fueran esas naciones, la dictadura de Franco siempre contó en el mundo con la simpatía y apoyo de amplios sectores católicos y conservadores. Las grandes potencias occidentales capitalistas no tomarían ninguna medida enérgica, militar o económica, contra una España católica y anticomunista.

CAPÍTULO 11

«RESERVA ESPIRITUAL DEL MUNDO»

A la Segunda Guerra Mundial le sucedió pronto la «Guerra Fría», la confrontación no armada entre la Unión Soviética y Estados Unidos con sus respectivos aliados. El anticomunismo de Franco le hizo ganar enteros entre los militares norteamericanos, un reconocimiento plasmado en el Pacto de Madrid, firmado el 26 de septiembre de 1953, punto de partida de la notable ayuda económica y militar que Estados Unidos iba a proporcionar a España en los años siguientes.

Un mes antes, el Gobierno de Franco había conseguido firmar un nuevo Concordato con el Vaticano. Con los militares, el apoyo de Estados Unidos y la bendición de la Santa Sede, la dictadura no peligraba. El aparato de poder de la dictadura se mantuvo intacto, pese a que sufrió importantes desafíos desde comienzos de los años sesenta. La emigración interior, decisiva para el desarrollo de la economía española, llevó a las ciudades a varios millones de campesinos y jornaleros durante esa década. Con la industrialización y el crecimiento de las ciudades, las clases trabajadoras recuperaron, o refundaron, la huelga y la organización, los dos instrumentos de combate desterrados y eliminados por la victoria de 1939. El hambre y las condiciones miserables cedieron paso poco a poco a salarios mejorados por convenios colectivos y a la exigencia de libertades. Los cambios dentro del orden presidieron aquellos años dorados de Franco y de sus servidores.

Orden

El nuevo orden implantado por los vencedores en la Guerra Civil pasó, antes de ser bendecido por Estados Unidos y el Vaticano, más de una década de hambre, escasez y extremo nacionalismo económico. Burócratas, economistas, industriales y algunos militares defendieron el intervencionismo estatal y la autarquía, con una considerable ineficacia en la administración de la economía y con consecuencias desastrosas para una mayoría de la población. Pusieron en marcha un amplio sistema de intervención en la economía, con la creación de diversos organismos que se encargarían de asegurar la producción agraria (el Servicio Nacional del Trigo), convertir a España en una tierra de regadío (Instituto Nacional de Colonización), organizar el transporte y suministros de los alimentos (Comisaría General de Abastecimiento y Transporte) y promover la industrialización (Instituto Nacional de Industria).

El principal problema de esos años era alimentar a los ciudadanos. La corrupción y el estraperlo dominaron ese largo período en el que la mayoría de la población sólo tenía acceso a las cantidades de productos básicos que las autoridades les asignaban en las cartillas de racionamiento. Los productores que no querían entregar sus productos a los precios fijados por el Gobierno recurrían al mercado negro para vender a precios mucho más altos. Y los consumidores, ricos y pobres, tuvieron que tomar el mismo camino ilegal para comprar lo más básico —el pan, aceite o leche— o, en el caso de quienes poseían más dinero, para no prescindir de otros productos menos necesarios. Mientras que casi todos los ciudadanos trapicheaban en el mercado negro para saciar el hambre, arriesgándose también a duros castigos si les cogían, los grandes estraperlistas, entre quienes se encontraban políticos y funcionarios del Estado franquista, personas protegidas por el poder, hicieron enormes fortunas. La influencia política daba grandes beneficios.

El hambre, la necesidad de subsistir, la represión y el control social hicieron casi imposible la protesta abierta. La dictadura no peligraba y menos todavía cuando logró, poco a poco, desde el comienzo de los años cincuenta, la integración de España en las organizaciones internacionales. El 4 de noviembre de 1950 la ONU anuló la resolución de 1946 que aislaba a España. En 1951 regresaban los embajadores, encabezados por los representantes de Estados Unidos y Gran Bretaña, y España entraba en la Organización Mundial de la Salud. Tras el Concordato con el Vaticano y los pactos de Defensa y Mutua Ayuda con Estados Unidos en 1953, España fue finalmente admitida en la ONU en diciembre de 1955.

El anticomunismo de la dictadura franquista y las consideraciones estratégicas aportadas por los militares facilitaron ese cambio. Aunque a España no se la incluyó en el Plan Marshall y, mientras la dictadura duró, nunca se la invitó a incorporarse a la Organización del Tratado del Atlántico Norte (OTAN), fundada el 4 de abril de 1949, la posición de Estados Unidos fue clave para aliviar los aspectos más severos del ostracismo internacional. El pacto firmado en septiembre de 1953, cuando el republicano Dwight Eisenhower ya había sustituido a Harry S. Truman, proporcionaba a España ayuda económica y militar y la oportunidad de adquirir grandes cantidades de materias primas norteamericanas y excedentes de alimentos básicos a precios reducidos. Los norteamericanos construyeron, a cambio de toda esa ayuda, cuatro complejos militares en Torrejón de Ardoz (Madrid), Morón (Sevilla), Rota (Cádiz) y Zaragoza. Cuando unos años después la economía se abrió, la inversión estadounidense contribuyó a mantener el ritmo de crecimiento acelerado. Los medios de comunicación jalearon los acuerdos y los presentaron como un triunfo más del Caudillo. Aliado de la mayor potencia militar del mundo, aunque fuera en la segunda fila y a base de ceder una parte importante de la soberanía española.

El pacto con Estados Unidos se cerró prácticamente al mismo tiempo que el nuevo Concordato con la Santa Sede. En los años que siguieron a la Guerra Civil, la Iglesia católica española ya había recuperado la mayoría de sus privilegios institucionales. Por fin, catorce años después del final oficial de la cruzada, un nuevo Concordato reafirmaba la confesionalidad del Estado, proclamaba formalmente la unidad católica y reconocía a Franco el derecho de presentación de obispos. De los numerosos privilegios y poderes que el Concordato otorgó a la Iglesia española destacaba la provisión por el Estado de las necesidades económicas del clero y la obligatoriedad de que en todos los centros docentes, estatales o no, la enseñanza se ajustara «a los principios del dogma y de la moral de la Iglesia católica».

Ese dominio católico siempre tuvo a su lado la sombra de Falange, la otra fuente de inspiración ideológica que estaba presente en el aparato administrativo y político de la dictadura, en las relaciones laborales, en el léxico, en la iconografía y en la parafernalia movilizadora de masas. Es cierto que la Falange, tras la derrota de los fascismos en la Segunda Guerra Mundial, vivió dividida entre quienes preferían ceder principios ideológicos a cambio de poder y la minoría de puristas que todavía soñaban con la revolución fascista. Pero conviene no despreciar la amplia red de influencias de lo que se llamaba el Movimiento, desde los medios de comunicación a los sindicatos verticales, pasando por las relaciones laborales o los servicios sociales.

La burocracia de la Organización Sindical se propuso «educar» a los trabajadores, productores en el lenguaje nacionalsindicalista, encuadrarlos jerárquicamente y, además de represión, disciplina y autoridad, ofrecerles un sistema de prestaciones sociales a través de lo que se conocía como las obras sindicales, la cara más amable y populista de la dictadura, la que debía proporcionar, por otro lado, la integración de esas masas afiliadas en otros tiempos al sindicalismo socialista o anarquista.

Esa imagen populista del nacionalsindicalismo nunca pudo separarse del uso de la violencia y de la represión. La dictadura tuvo en esos años finales de la década de los cincuenta su primera crisis importante y una parte de la sociedad comenzó también a mostrar, aunque nunca de forma masiva, sus primeras manifestaciones de resistencia. En julio de 1951 Franco había hecho el primer cambio de Gobierno en seis años. La subsecretaría de la Presidencia, ocupada por Carrero Blanco, fue elevada al rango de ministerio y se creó uno nuevo, llamado de Información y Turismo, dirigido por Gabriel Arias Salgado, un hombre ultraclerical e integrista, fiel a Franco, más que al falangismo, que se rodeó de un grupo de reaccionarios y falangistas. El grupo se mantuvo unido, controlando e imponiendo una rígida censura a la información, hasta 1962, cuando fue sustituido por el falangista Manuel Fraga Iribarne.

En ese Gobierno entró como ministro de Educación Joaquín Ruiz Giménez, vinculado a la Asociación Católica Nacional de Propagandistas (ACNP), aunque la mayoría de los colaboradores que nombró procedían de los viejos sectores intelectuales de Falange. Ruiz Giménez tenía un proyecto de apertura, que generó importantes tensiones con un sector de la jerarquía eclesiástica, que rechazaba cualquier iniciativa estatal para regular la enseñanza. Su política de reintegración del profesorado exiliado encontró el rechazo de la vieja guardia franquista del 18 de julio y de sectores integristas del Opus Dei. Las iniciativas aperturistas de Ruiz Giménez crearon asimismo tensiones entre dirigentes del SEU vinculados al Movimiento y pequeños grupos disidentes antifranquistas. El principal escenario fue la Universidad de Madrid. Franco terminó echando a Ruiz Giménez y al secretario general del Movimiento, Raimundo Fernández Cuesta. Al primero, porque había permitido que brotaran gérmenes de disidencia izquierdista en las universidades; al segundo, por no haber sabido mantener la unidad del Movimiento.

177

Esos cambios en el Gobierno, imprevistos y de emergencia, trataban de echar marcha atrás, recuperar esencias, pero no pudieron ocultar la aparición de una nueva oposición, todavía no organizada, alejada del exilio republicano, que incorporaba a intelectuales falangistas, que marcaban ya distancias con la dictadura, y a jóvenes estudiantes de izquierda, hijos de familias acomodadas franquistas. Todo era aún muy incipiente, el germen de un activismo cultural que se convertiría en resistencia política en la década siguiente.

En esos años apareció también con fuerza el proyecto de Carrero Blanco de desarmar políticamente a la Falange y de crear un nuevo marco legislativo que permitiera la evolución hacia una Monarquía autoritaria, continuidad del franquismo, cuando Franco muriera. Carrero encargó a Laureano López Rodó, catedrático de derecho administrativo y destacado miembro del Opus Dei, esa tarea. El modelo autárquico había llevado a la economía española a una situación sin salida, con un déficit considerable en la balanza de pagos, inflación galopante, y en la que no había divisas para abordar el pago de las importaciones. La reforma de la administración del Estado y el cambio de política económica iban a ser los dos ejes principales de la actuación del grupo de tecnócratas que llegaron por primera vez al Gobierno de Franco el 25 de febrero de 1957.

Cambios

El nuevo ministro de Hacienda, Mariano Navarro Rubio, era un abogado católico, miembro del Opus Dei, igual que el nuevo ministro de Comercio, el catedrático de historia económica Alberto Ullastres Calvo. Como López Rodó, la persona que estaba detrás de ese cambio de rumbo, también era miembro de ese instituto secular fundado por José María Escrivá de Balaguer en 1928, empezó a correr la idea, especialmente en los círculos falangistas desplazados, de que el

Opus Dei era una mafia católica que conspiraba para hacerse con el poder dentro del aparato político del franquismo.

Después de la Guerra Civil, el Opus Dei reclutó a jóvenes de las nuevas elites en ascenso. Desde 1957, y hasta enero de 1974, esos miembros del Opus Dei ocuparon los principales puestos de la administración del Estado, en la política económica y en los planes de desarrollo. Impulsaron una política agresiva de crecimiento económico orientado a la exportación, racionalizando la administración del Estado y sin abandonar nunca el marco de la estructura política autoritaria. Representaban, por supuesto, los intereses del capital y de la racionalización capitalista, y como su fuente de legitimidad para controlar el poder eran sus conocimientos económicos y jurídicos, expertos como eran en economía y derecho, han pasado a la historia con el nombre de «tecnócratas».

La llegada de los tecnócratas al poder era una respuesta pragmática a la bancarrota económica y desgaste del modelo político en el que se encontraba el franquismo. Y aunque Franco dio a los falangistas cuatro carteras, estaba claro que la entrada de los tecnócratas en el Gobierno iba a significar el abandono de las ideas económicas que Franco y los falangistas habían compartido desde el día de la victoria.

Las principales organizaciones económicas internacionales, encabezadas por el Fondo Monetario Internacional (FIM), aconsejaron la puesta en marcha de un plan de estabilización para la economía española. Pese a que Franco desconfiaba de esos consejos y no entendía nada sobre lo que ese plan significaba, lo aceptó finalmente cuando Ullastres y Navarro Rubio le dijeron que España estaba al borde de la quiebra. El 21 de julio de 1959 apareció el Decreto Ley de Nueva Ordenación Económica, conocido como Plan de Estabilización. El plan autorizaba la regulación del mercado de divisas y ponía en marcha una serie de medidas para recortar la intervención del Estado y flexibilizar la economía. La cotización oficial de la moneda española se situó en sesenta pesetas por dólar, se suavizaron los límites impuestos a las inversiones extranjeras, tratando de fomentar la entrada del capital extranjero y aumentar la competitividad de la economía española.

La aplicación de esas medidas, favorecida por una excepcional coyuntura internacional, dio unos resultados inmediatos. La balanza de pagos se recuperó y un año después estaba en superávit. El crecimiento del Producto Nacional Bruto fue espectacular, pasando del 0,5 en 1960 al 3,7 en 1961 y al 7 por ciento en 1962. Todos los especialistas coinciden en señalar que el Plan de Estabilización fue el principal causante del crecimiento económico que se inició desde mediados de 1960 y se mantuvo hasta la crisis internacional de 1973. Permitió que la economía española se beneficiase del fuerte desarrollo económico que los países occidentales capitalistas habían comenzado a vivir desde comienzos de los años cincuenta. Los elevados costes sociales de esas medidas, especialmente en lo que se refería al descenso de los salarios y al aumento del paro, encontraron una válvula de escape en la emigración a los países europeos que reclamaban entonces mano de obra.

El 10 de julio de 1962 Franco llevó a cabo una importante remodelación del Gobierno. Otro miembro del Opus Dei, el joven ingeniero naval Gregorio López Bravo, se convirtió en el nuevo ministro de Industria, un sector donde también se iba a poner en marcha la política económica de liberalización. A sus casi setenta años, Franco nombró por primera vez un vicepresidente del Consejo de Ministros y, para tranquilizar a los falangistas recelosos de los tecnócratas del Opus Dei, el cargo recayó en el general ultrarreaccionario Agustín Muñoz Grandes. Y fue también en ese cambio de Gobierno cuando pasó al primer plano de actualidad de la política Manuel Fraga Iribarne, catedrático de derecho político y consejero del Movimiento, encargado desde el Ministerio de Información y Turismo de maquillar la imagen represiva de la dictadura.

Los planes de desarrollo se basaron en una política de promoción industrial a través del desarrollo regional. El primero arrancó en 1964 y el tercero, iniciado en 1972, agonizó al mismo tiempo que la dictadura y el dictador, cuando ya estaba claro que la planificación nunca había hecho realidad todo lo proyectado. La mayoría de las decisiones económicas importantes fueron adaptadas al margen de la planificación, que tuvo graves deficiencias, dificultades de organización y mucha propaganda, como han puesto de relieve tanto economistas como historiadores. Tampoco redujo los desequilibrios regionales, porque el modelo de desarrollo económico se caracterizó precisamente por una elevada concentración espacial de la población y de la actividad económica.

El crecimiento económico español se vio impulsado por la mejora en la productividad, con transformaciones estructurales decisivas, y por la acumulación del capital. Una de las razones que explican esa mejora en la productividad fue la gran transferencia de mano de obra desde el sector agrario a la industria y los servicios. Más de cuatro millones y medio de personas, normalmente trabajadores subempleados en la agricultura, cambiaron de residencia en España durante la década de los sesenta, pasando a ocupar la oferta de puestos de trabajo en los sectores económicos en desarrollo. El sector primario, que en 1960 aportaba una cuarta parte del PIB, representaba sólo un 10 por ciento en 1975. La población ocupada en actividades de ese sector pasó de más de 42 por ciento a menos de veinticuatro. La industria, por el contrario, ocupaba al final de la dictadura al 37 por ciento de la población, y los servicios, que aportaban en 1975 la mitad del PIB, se convirtieron en la actividad económica con más trabajadores.

La apertura de la economía española al exterior actuó también como fuente de crecimiento. El aumento de las exportaciones siempre fue menor que el de las importaciones, pero ese desequilibrio pudo financiarse gracias a las remesas enviadas por los emigrantes, a las inversiones extranjeras y a las divisas proporcionadas por el turismo. El flujo migratorio al extranjero, principalmente a Francia,

Suiza, Bélgica y Alemania, que llevó entre 1960 y 1975 a tres millones de españoles a residir en esos países por motivos de trabajo, proporcionó una importante fuente de ingresos. Los españoles se iban a trabajar a otros países y los ciudadanos de esos mismos países venían como turistas a España. El número de turistas extranjeros se multiplicó por ocho entre 1959 y 1973, pasando de poco más de cuatro millones a casi treinta y cinco. Y los ingresos de divisas aumentaron desde 296,5 millones de dólares en 1960 a más de 3.400 millones en 1975, que permitieron financiar más de un tercio del total de las importaciones.

La población española aumentó diez millones en las cuatro décadas de la dictadura, pasando de veintiséis en 1940 a treinta y seis en 1975, debido sobre todo al descenso brusco de la tasa de mortalidad, pero el fenómeno más relevante fue el trasvase masivo de población del campo a la ciudad, el llamado éxodo rural, que transformó a la sociedad española. La crisis de la agricultura tradicional, el crecimiento industrial y la emigración desde el campo a las ciudades tuvieron importantes repercusiones en la estructura de clases. Emergió una nueva clase obrera, que tuvo que subsistir al principio en condiciones miserables y con bajos salarios, controlada por los falangistas y los sindicatos verticales, sometida a una intensa represión, pero que pudo utilizar desde comienzos de los años sesenta la nueva legislación sobre convenios colectivos para mejorar sus contratos. La introducción de la negociación colectiva, un modo de institucionalización de los antagonismos de clases, provocó cambios significativos en la teoría y práctica del sindicalismo, como ya lo había hecho en otros países de Europa en el período de entreguerras. Los objetivos de la revolución obrera se desplazaban para lograr otros más inmediatos relacionados con los salarios, la duración de los contratos o la exigencia de libertades.

Ese modelo de crecimiento acelerado entró en crisis en Europa a partir de 1974, causada sobre todo por la súbita subida del coste del petróleo impuesta por los países árabes un año antes, que encareció las materias primas y los alimentos, y se sintió en España con especial intensidad justo cuando comenzaba la transición a la democracia, complicando su consolidación y dando alas al discurso, que se escuchó mucho en esos años, de que con Franco se vivía mejor. La propaganda se encargó de extender el mito del desarrollo económico, como si las inversiones extranjeras, la industrialización y hasta la preparación del terreno para que la democracia se hiciera posible en el futuro, fueran obra del dictador.

Una de las grandes ventajas con la que contó la dictadura de Franco en el escenario internacional, a partir de comienzos de los años cincuenta, es que el comunismo sustituyera al fascismo como enemigo de las democracias. El régimen de Franco, que cultivó el anticomunismo como ningún otro, apareció más atractivo a los ojos occidentales. Tras más de una década de miseria económica, a la dictadura se le ofreció su reinserción en el sistema capitalista occidental. Porque España constituía en esos años un campo perfectamente abonado para la penetración del capital extranjero. Con una clase obrera sometida y con una población mantenida bajo constante vigilancia política por Falange y por las fuerzas represivas, no resulta tan sorprendente que la economía española, estimulada por los créditos norteamericanos y por la fuerte expansión de la economía europea, comenzara a despegar de nuevo y alcanzara cotas de crecimiento hasta entonces desconocidas.

Con el tiempo, el crecimiento industrial y la emigración inauguraron nuevas formas de protesta social. En los últimos años del franquismo y en los primeros de la transición aparecieron también conflictos y movilizaciones que mostraban importantes similitudes con los nuevos movimientos sociales que proliferaban entonces en los países industriales de Europa y Norteamérica. La dictadura fue tan larga que dio tiempo a presenciar un abanico amplio de resistencias, desde la armada protagonizada por los guerrilleros a la estudiantil, pasando por el nuevo sindicalismo de Comisiones Obreras.

Resistencias

La cultura política de la violencia y de la división entre vencedores y vencidos, «patriotas y traidores», «nacionales y rojos», se impuso en la sociedad española al menos durante dos décadas. Los vencidos que pudieron seguir vivos tuvieron que adaptarse a las formas de convivencia impuestas por los vencedores. Muchos perdieron el trabajo; otros, especialmente en el mundo rural, fueron obligados a trasladarse a ciudades o pueblos diferentes. Acosados y denunciados, los militantes de las organizaciones políticas y sindicales del bando republicano se llevaron la peor parte.

Hubo quienes resistieron con armas a la dictadura, los llamados maquis o guerrilleros. Su origen estaba en los «huidos», en aquellos que para escapar a la represión de los militares rebeldes se refugiaron en diferentes momentos de la Guerra Civil en las montañas de Andalucía, Asturias, León o Galicia, sabiendo que no podían volver si querían salvar la vida. La primera resistencia de esos huidos, y de todos aquellos que no aceptaron doblar la rodilla ante los vencedores, dio paso gradualmente a una lucha armada más organizada que copiaba los esquemas de resistencia antifascista ensayados en Francia contra los nazis. Aunque muchos socialistas y anarquistas lucharon en las guerrillas, sólo el PCE apoyó claramente esa vía armada. En esa década de los cuarenta, unos siete mil maquis participaron en actividades armadas por los diferentes montes del suelo español. Si creemos a las fuentes de la Guardia Civil, 2.173 guerrilleros y trescientos miembros de las fuerzas armadas murieron en los enfrentamientos.

Hasta el final de la Segunda Guerra Mundial hubo esperanzas. La operación más importante en aquellos años de guerra mundial fue la invasión del Valle de Arán, en la que entre 3.500 y 4.000 hombres ocuparon varias poblaciones del Pirineo desde el 14 al 28 de octubre de 1944, hasta que Vicente López Tovar, el jefe militar de las operaciones, tuvo que ordenar la retirada, dejando un balance de unos sesenta muertos y ochocientos prisioneros. Durante el lustro siguiente, desde 1945 a 1949, grupos dispersos de guerrilleros sostuvieron continuos enfrentamientos con la Guardia Civil hasta su derrota definitiva. En realidad, sin la ayuda de las potencias democráticas, poco pudieron hacer frente al poder militarizado y absoluto de los vencedores franquistas.

La lucha armada rara vez conectó con los intentos clandestinos de reorganización sindical de la CNT y de la UGT, y con algunas protestas obreras que, de forma espontánea y dispersa, empezaron a hacer acto de presencia desde finales de los años cuarenta en Cataluña y el País Vasco. Las quejas por los bajos salarios y por el racionamiento eran la expresión de reclamaciones urgentes para salir de la miseria, pero tenían una dimensión política porque desafiaban a las autoridades franquistas. Hubo ya una huelga importante, que incluyó a más de veinte mil trabajadores, en la ría bilbaína el 1 de mayo de 1947, aunque la más significativa de aquellos años fue la que comenzó en Barcelona en marzo de 1951 con el boicot a los tranvías, para protestar por la subida de tarifas. La huelga se extendió a otros sectores industriales y encontró también un amplio eco de solidaridad en Vizcaya y Guipúzcoa. En esos conflictos, y en los de los años siguientes, coincidiendo con las primeras movilizaciones estudiantiles de 1956, se vio ya que los comunistas comenzaban a convertirse en la fuerza más activa de oposición a la dictadura.

Los comunistas se hicieron notar especialmente a partir de la Ley de Convenios Colectivos de 1958, una norma que en realidad intentaba canalizar esas protestas y al mismo tiempo situar la negociación por los salarios y las condiciones de trabajo bajo el control del sindicalismo vertical. De la introducción de la negociación colectiva emergió un sindicalismo clandestino, Comisiones Obreras, activado y orientado por grupos católicos y comunistas, que intentaba penetrar en los sindicatos franquistas, llevar a ellos a sus representantes, negociar con los patronos hasta donde las circunstancias permitieran, con paciencia, a la espera de que ese restrictivo marco oficial saltara algún día por los aires.

El movimiento de Comisiones Obreras nació con los conflictos laborales de comienzos de los años sesenta y a él se sumaron los grupos de trabajadores más activos en la lucha antifranquista. Los representantes de Comisiones Obreras querían actuar pública y legalmente, y lo consiguieron en algunas huelgas, aunque, dado que estaban prohibidas y eran duramente reprimidas, ese nuevo sindicalismo tuvo que moverse siempre en la clandestinidad. Desde el movimiento huelguístico de 1962 en las minas de Asturias, la presencia de Comisiones Obreras fue ya indisolublemente unida a todos los conflictos laborales que se propagaron por España hasta la muerte de Franco.

En esos veinte primeros años de dictadura, la oposición política al franquismo había atravesado un largo desierto. Por eso tuvo tanta repercusión la reunión que del 5 al 8 de junio de 1962 celebraron en Múnich representantes de algunos grupos de oposición a la dictadura. Monárquicos, católicos y falangistas alejados en ese momento de las posiciones autoritarias, encabezados por Gil Robles y Dionisio Ridruejo, se reunieron con socialistas y nacionalistas vascos y catalanes. Aunque el comunicado final del encuentro sólo pedía cambios moderados y graduales, la dictadura lo consideró un grave atentado contra España, «el contubernio de Múnich».

Rojos eran también para Franco los profesores y estudiantes que cuestionaron los fundamentos de una universidad mediocre y represiva, los clérigos que se distanciaron de la Iglesia sumisa a la dictadura y los nacionalistas vascos y catalanes. El número de estudiantes universitarios, que apenas pasaba de cincuenta mil en 1955, se había triplicado en 1971, y para atender a ese notable crecimiento se creó un cuerpo de profesores no numerarios (PNN), sujetos a contrato laboral, que mostraron su abierta hostilidad a los principios ideológicos y políticos del franquismo.

Frente a esa disidencia, en la que confluyeron estudiantes y algunos catedráticos, la dictadura siempre recurrió a la represión. En 1965, año de conflictos, los catedráticos José Luis López-Aranguren, Agustín García Calvo y Enrique Tierno Galván fueron expulsados de la Universidad por su compromiso con el movimiento estudiantil.

Franco y sus fuerzas armadas no estaban dispuestos a ceder ni un solo gramo de su victoria en 1939. Por un lado, propagaban sus «XXV Años de Paz», con el ministro Fraga Iribarne como principal maestro de ceremonias, y por otro, torturaban y ejecutaban todavía por supuestos crímenes cometidos en la guerra, como hicieron con el dirigente comunista Julián Grimau el 20 de abril de 1963. Unos meses después, el 17 de agosto, cuando todavía arreciaban las protestas por ese fusilamiento, los anarquistas Francisco Granados y Joaquín Delgado fueron ejecutados a garrote vil en la cárcel de Carabanchel.

A finales de ese mismo año, en diciembre, apareció la ley de creación del Juzgado y Tribunal de Orden Público (TOP). Se trataba de una jurisdicción especial que juzgó en su doce años de funcionamiento, hasta su desaparición legal el 5 de enero de 1977, miles de «delitos contra la seguridad interior», entre los que destacaban la «asociación ilícita», la «propaganda ilegal» y las «reuniones o manifestaciones no pacíficas». El franquismo criminalizó de esa forma lo que en otros países democráticos eran expresiones cívicas y políticas reconocidas por la ley.

El control absoluto que el poder intentaba ejercer sobre los ciudadanos ya no era suficiente para evitar la movilización social contra la falta de libertades. En esos años finales de la dictadura aparecieron además conflictos y movilizaciones que se parecían mucho a los nuevos movimientos sociales presentes entonces en los países industriales de Europa y Norteamérica. Era el momento del apogeo del movimiento estudiantil y de los nacionalismos periféricos, que arrastraron a una buena parte de las elites políticas y culturales. Y no habría que pasar por alto otras formas de acción colectiva vinculadas al pacifismo-antimilitarismo, al feminismo, a la ecología o a los movimientos vecinales. Eran movimientos que abandonaban en la mayoría de los casos el sueño revolucionario de un cambio estructural, para defender una sociedad civil democrática; que asumían formas de organización menos jerárquicas y centralizadas; y que se nutrían de jóvenes, estudiantes y empleados del sector público, es decir, de personas que ya no representaban a una clase social determinada, por lo general obrera, y que, por lo tanto, ya no recogían sólo los intereses y demandas de esa clase.

Con el capitalismo en auge y con obreros que abandonaban el radicalismo ante la perspectiva de mejoras tangibles e inmediatas, el anarquismo y las alternativas revolucionarias flaqueaban, dejaban de existir. En realidad, excepto el socialismo, muy reformado y que podía mirarse en el espejo que le proporcionaban los países más avanzados, ninguno de los movimientos históricos anteriores a la Guerra Civil, como el republicanismo o el anarquismo, pudo resurgir tras la muerte de Franco.

Unos eran ya historia y otros aparecían justo cuando el dictador envejecía. Ése fue el caso de ETA (*Euskadi Ta Askatasuna*, Patria Vasca y Libertad), que aunque se creó en julio de 1959, con retazos de las organizaciones juveniles del PNV, comenzó a tener resonancia desde agosto de 1968, cuando la propaganda y las bombas sin muertos dieron paso al asesinato en Irún del comisario de policía Melitón Manzanas. Desde ese momento, el terrorismo de ETA se convirtió en un grave problema de orden público y consiguió notables logros al provocar una represión indiscriminada y la reacción frente a la dictadura de una parte importante de la población vasca.

CAPÍTULO 12

AGONÍA Y MUERTE
DEL FRANQUISMO

Franco murió en la cama en noviembre de 1975 y tras su muerte, que ponía fin a una dictadura de casi cuarenta años, se produjo una transición a la democracia «desde arriba», conducida por las autoridades procedentes del franquismo, aunque negociada y pactada en algunos puntos básicos con los dirigentes de la oposición democrática. Hay quienes argumentan que los ingredientes que favorecieron ese peculiar modo de transición deben rastrearse en las dimensiones de la crisis padecida por el régimen de Franco desde mediados de la década de 1960. La profunda transformación política y cultural que siguió a la muerte del dictador no puede entenderse, por lo tanto, si no se tienen en cuenta los cambios sociales que ya estaban en marcha desde quince años antes.

Otros autores van más lejos. El recuerdo traumático de la Guerra Civil, el miedo a los militares y a la derecha franquista y el deseo de no repetir un conflicto tan violento estuvieron muy presentes en los primeros años de la transición. Una dictadura de cuarenta años tuvo que condicionar necesariamente el período de transición desde la dominación autoritaria a la democracia y eso es lo que han intentado explicar y conectar muchos de los especialistas.

Años difíciles

La crisis y ocaso del franquismo podrían considerarse abiertos a partir de 1969, con un punto de aceleración importante en diciembre de 1973 con el asesinato de Carrero Blanco. El 21 de julio de 1969 Franco presentó a Juan Carlos como su sucesor ante el Consejo del Reino y un día después a las Cortes, que aceptaron la propuesta del dictador por 491 votos afirmativos, 19 negativos y 9 abstenciones. El 23 de julio el Príncipe juró «lealtad a Su Excelencia el Jefe del Estado y fidelidad a los Principios del Movimiento y las Leyes Fundamentales». Franco tenía entonces setenta y siete años y había comenzado ya a mostrar claros síntomas de envejecimiento, agravados por la enfermedad de Parkinson y muy visibles en su temblor de manos, rigidez facial y debilitamiento de su tono de voz. Ante ese panorama, Carrero Blanco, que había sustituido en septiembre de 1967 al general Muñoz Grandes como vicepresidente del Gobierno, aceleró su plan de atar la institucionalización de la dictadura con la designación por Franco de un sucesor a título de rey.

El asunto Matesa, las siglas de Maquinaria Textil, S. A., estalló de súbito en el verano de ese año y se convirtió en el mayor escándalo financiero de toda la dictadura. Su director, conectado con el Opus Dei y los grupos tecnocráticos, logró cuantiosos créditos oficiales de ayuda a la exportación, justificados con pedidos que en la práctica no existían o estaban inflados. Las irregularidades fueron denunciadas y aireadas por la prensa del Movimiento, con la ayuda desde el Gobierno de Manuel Fraga Iribarne y José Solís Ruiz, para intentar desacreditar a los ministros del Opus Dei, un pulso más de la dura batalla por el poder que libraban esos dos grupos desde principios de los años sesenta.

Los efectos políticos de ese escándalo fueron inmediatos. Carrero Blanco pidió a Franco una remodelación total del Gobierno y el 29 de octubre formó lo que ha pasado a la historia como el «Gobierno monocolor». Carrero continuaba de vicepresidente, aunque con más poder que nunca, y casi todos los ministros en puestos clave eran miembros del Opus Dei, de la ACNP, o se identificaban con la línea tecnocrática-reaccionaria de López Rodó-Carrero Blanco. Manuel Fraga Iribarne y Solís Ruiz fueron cesados. Esa pugna por el control del proceso político entre Carrero y el Opus Dei por un lado y el sector *azul* del Movimiento por otro, abrió definitivamente la crisis en el interior del franquismo. Era un conflicto entre los franquistas de línea dura dispuestos a defender sus privilegios hasta el final y aquellos franquistas que habían tomado conciencia de que su supervivencia quedaría mejor asegurada con una reforma gradual y moderada.

Un momento especialmente tenso fue 1970. La conflictividad laboral alcanzó ese año el nivel más alto del decenio. Muchas huelgas derivaban en enfrentamientos con la policía y con muchos huelguistas torturados y en la cárcel. La represión fue especialmente dura en el País Vasco, donde ETA había empezado a desafiar a las fuerzas armadas de la dictadura con asesinatos y atracos a bancos y empresas. La mezcla de agitación laboral, universitaria y terrorista provocó una dura reacción de militares y políticos ultraderechistas que convencieron a Franco para que respondiera con un juicio ejemplar contra dieciséis prisioneros vascos, entre ellos dos sacerdotes. El proceso comenzó en diciembre en Burgos, sede de la región militar a la que pertenecía el País Vasco, y concluyó con la condena a muerte a seis de los acusados. Franco anunció su magnánima decisión de conmutar las penas de muerte por años de cárcel. Pese al perdón, todo ese proceso tuvo consecuencias muy negativas para el régimen, que vio cómo un sector de la sociedad respondía con huelgas y manifestaciones, los obispos vascos pedían clemencia y en el exterior se protestaba contra Franco como no se recordaba desde los años posteriores a la Segunda Guerra Mundial.

Los años que siguieron fueron los más agitados de la dictadura de Franco. Algunos miembros de la jerarquía eclesiástica, muy renovada tras la desaparición de los principales exponentes de la cruzada y del nacionalcatolicismo, empezaron a romper el matrimonio con la dictadura, presionados también por muchos sacerdotes y comunidades cristianas que, especialmente en Cataluña, el País Vasco y las grandes ciudades, reclamaban una Iglesia más abierta, comprometida con la justicia social y los derechos humanos. Algo o mucho se movía en esa Iglesia dirigida desde 1972 por el cardenal Vicente Enrique y Tarancón, y que trataba de adaptarse a las exigencias del Concilio Vaticano II y a los cambios de la sociedad española.

Desde 1971 hasta la muerte de Franco, los conflictos se extendieron por todas las grandes ciudades y se radicalizaron por la intervención represiva de los cuerpos policiales, cuyos disparos dejaban a menudo muertos y heridos en las huelgas y manifestaciones. La violencia policial llegaba también a las universidades donde crecían las protestas y se multiplicaban las minúsculas organizaciones de extrema izquierda. La respuesta de las autoridades franquistas, con Carrero Blanco a la cabeza, fue siempre mano dura, represión y una confianza inquebrantable en las fuerzas armadas para controlar la situación.

El asesinato de Carrero Blanco por ETA en diciembre de 1973, presidente del Gobierno desde junio de ese año, aceleró la crisis interna de la dictadura. Unos días después, Franco eligió como presidente a Carlos Arias Navarro, ministro de Gobernación en el momento del asesinato de Carrero y símbolo vivo de la represión franquista. Arias anunció su Gobierno el 23 de enero de 1974. Eliminó a López Rodó y a los tecnócratas, poniendo punto final a más de quince años de presencia del Opus Dei al frente de los principales ministerios y llamó a hombres del Movimiento de procedencia falangista. A su aperturismo verbal, plasmado en su primer discurso ante las Cortes el 12 de febrero, el llamado «espíritu de febrero», se lo comió muy pronto la represión con la que tuvo que hacer frente a la explosión de conflictos, al incremento del terrorismo y al desafío abierto que le planteó una oposición política todavía demasiado dividida. Por si fuera poco, la aguda crisis económica que acompañó a su Gobierno desde el principio ponía fin a los años de milagro económico y prosperidad de la dictadura.

Apenas tres meses después de formarse el Gobierno, su imagen estaba ya muy empañada por el arresto domiciliario del obispo de Bilbao, Antonio Añoveros, tras su homilía a favor del uso de la lengua vasca, y la ejecución a garrote vil del anarquista catalán Salvador Puig Antich y del polaco Hein Chez, acusados de haber dado muerte a un policía y a un guardia civil. El terrorismo golpeó fuerte en septiembre de ese año, con 12 víctimas mortales por la explosión de una bomba en la cafetería Rolando, cercana a la Dirección General de Seguridad en la madrileña Puerta del Sol, en el atentado más sangriento de ETA durante la dictadura.

El búnker y la ultraderecha se envalentonaron. En agosto de 1975 se puso en marcha una nueva Ley Antiterrorista que restablecía los consejos de guerra sumarísimos y que se aplicó con carácter retroactivo a once militantes de ETA y del FRAP (Frente Revolucionario Antifascista Patriótico), pequeño grupo terrorista de inspiración marxista-leninista, fundado dos años antes, acusados del asesinato de tres policías. Los datos de los procedimientos incoados por el Tribunal de Orden Público (TOP), que había sido creado en diciembre de 1963, prueban claramente esa escalada de la represión: en los tres años finales de esa jurisdicción (1974, 1975 y 1976), con Arias en el Gobierno, se tramitaron 13.010 procedimientos, casi el 60 por ciento del total de los doce años de funcionamiento.

La condena a muerte de esos tres miembros de ETA y ocho del FRAP, entre ellos dos mujeres embarazadas, provocó una masiva huelga general en el País Vasco, enérgicas protestas en el exterior y peticiones de clemencia de notables personajes como el papa Pablo VI, don Juan, la reina de Inglaterra o Leónidas Breznev. Encerrado en su búnker,

Franco ejerció su famoso derecho de gracia sobre seis de los condenados y aprobó la sentencia de los cinco restantes, ejecutados el 27 de septiembre de 1975. Los Gobiernos de varios países retiraron a sus embajadores como protesta. La respuesta del régimen fue la habitual en esos casos: masiva concentración de apoyo a Franco en la plaza de Oriente.

Dos meses después de que ordenara esas ejecuciones, el dictador dio su último suspiro. Cuando murió, su dictadura se desmoronaba. La desbandada de los llamados reformistas o «aperturistas» en busca de una nueva identidad política era ya general. Muchos franquistas de siempre, poderosos o no, se convirtieron de la noche a la mañana en demócratas de toda la vida. La mayoría de las encuestas realizadas en los últimos años de la dictadura mostraban un creciente apoyo a la democracia, aunque nada iba a ser fácil después de la dosis de autoritarismo que había impregnado la sociedad española durante tanto tiempo.

La dictadura que duró cuarenta años

La dictadura de Franco salió de una guerra civil y en esa larga y sangrienta dictadura reside la gran excepcionalidad de la historia de España del siglo XX si se compara con otros países europeos capitalistas. Ese mito fundacional, el 18 de julio y la Guerra Civil, la victoria de Franco y su cultura excluyente, ultranacionalista, de represión física y económica, determinaron la identidad y naturaleza del franquismo, al menos durante sus dos primeras décadas, aunque ese terror y violencia, como han demostrado sólidos y valiosos estudios, no fue sólo un fenómeno de la posguerra o de los primeros años de la dictadura franquista.

Los vencedores de la guerra decidieron durante años y años la suerte de los vencidos a través de diferentes mecanismos y manifestaciones del terror. En primer lugar, con la violencia física, arbitraria y vengativa, con asesinatos in situ, sin juicio previo. Se trataba de una continuación del «terror caliente» que había dominado la retaguardia franquista durante toda la guerra y desapareció pronto, aunque hay todavía abundantes muestras de él en los años 1940 a 1943. Dejó paso a la centralización y control de la violencia por parte de la autoridad militar, un terror institucionalizado y amparado por la legislación represiva del nuevo Estado. Ese Estado de terror, continuación del Estado de guerra, transformó la sociedad española, destruyó familias enteras e inundó la vida cotidiana de prácticas coercitivas y de castigo.

Pero por mucho que evolucionara y dulcificara sus métodos, la dictadura nunca quiso quitarse de encima sus orígenes sangrientos, la Guerra Civil como acto fundacional, que recordó una y otra vez para preservar la unidad de esa amplia coalición de vencedores frente a los vencidos. La represión no era algo «inevitable». Fueron los vencedores los que la vieron totalmente necesaria, y consideraron la muerte y la prisión como un castigo adecuado para los rojos. El terror ajustó cuentas, generó la cohesión en torno a esa dictadura forjada en un pacto de sangre. Los vencidos quedaron paralizados, asustados, sin capacidad de respuesta.

La larga duración de esa dictadura resulta incomprensible además si no se tiene en cuenta el papel principal en ella del Ejército, del ejército de Franco, construido en medio de una guerra civil y de una posguerra victoriosa, que garantizó en todo momento la continuidad de la dictadura hasta el final. En ese Ejército mandaba la generación de su Caudillo, los que realmente ganaron la guerra. Pero también una generación militar posterior, representada por Carrero Blanco, que hicieron la guerra de muy jóvenes o accedieron a la carrera militar en la inmediata posguerra. Ese Ejército, unido en torno a Franco, no presentaba fisuras. Conforme Franco se iba haciendo mayor y cuando alguien le expresaba su preocupación por el futuro y la sucesión, la respuesta del dictador siempre era la misma: ahí estaba el Ejército, para defender el régimen y garantizar su continuidad.

Franco y su Ejército debieron también adaptarse a los cambios en la situación internacional. Soñaron con un nuevo imperio español y, en realidad, dado su escaso potencial, tuvieron que liquidar lo poco que quedaba de él, los territorios africanos, desde el protectorado de Marruecos a Sidi Ifni y Guinea Ecuatorial, que fueron abandonados uno tras otro desde mediados de los años cincuenta, hasta que sólo quedó el Sahara español, un territorio por el que España entró en conflicto abierto con Marruecos justo cuando Franco agonizaba. Aunque la pérdida del protectorado en 1956 fue un duro revés para muchos oficiales españoles, que habían hecho allí su carrera militar, mantenerse al margen de las aventuras imperiales fue, al final, una gran ventaja para el franquismo, que no experimentó las graves fricciones en el seno del Ejército que a otras dictaduras, como a la portuguesa, le causó el conflicto colonial.

La situación internacional, en verdad, fue muy propicia para el franquismo, desde sus orígenes hasta el final. En 1939, derrotada la República, el clima internacional tan favorable a los fascismos contribuyó a consolidar la violenta contrarrevolución iniciada ya con la ayuda inestimable de esos mismos fascismos desde el golpe de julio de 1936. Muertos Hitler y Mussolini, a las potencias democráticas vencedoras en la Segunda Guerra Mundial les importó muy poco que allá por el sur de Europa, en un país de segunda fila que nada contaba en la política exterior de aquellos años, se perpetuara un dictador sembrando el terror e incumpliendo las normas más elementales del llamado «derecho internacional».

Sin intervención exterior, la dictadura de Franco, como ya hemos tratado de demostrar, estaba destinada a durar. La contribución de la Iglesia católica a ese fin fue también inmensa. Tres ideas básicas resumen la relación entre la Iglesia y la dictadura en esos primeros años decisivos de la paz de Franco. La primera, que la Iglesia católica se implicó y tomó parte hasta mancharse en el sistema «legal» de represión organizado por la dictadura de Franco tras la Guerra Civil. La segunda, que la Iglesia católica sancionó y glorificó esa violencia no sólo porque la sangre de sus miles de mártires clamara venganza, sino, también y sobre todo, porque esa salida autoritaria echaba atrás de un plumazo el importante terreno ganado por el laicismo antes del golpe militar de julio de 1936, y le daba la hegemonía y el monopolio más grande que hubiera soñado. La tercera, que la simbiosis entre religión, patria y Caudillo fue decisiva para la supervivencia y mantenimiento de la dictadura tras la derrota de las potencias fascistas en la Segunda Guerra Mundial.

Los cambios socioeconómicos que en los años sesenta desafiaron a la dictadura franquista generaron, sin embargo, una profunda secularización de la sociedad. La expansión de la enseñanza pública y el aumento de los funcionarios de los cuerpos docentes hizo perder a la Iglesia el monopolio de la educación y el control moral de la cultura. Un número considerable de sacerdotes comenzó a criticar las manifestaciones represivas de la dictadura. Muchos de ellos procedían del País Vasco y de Cataluña, donde jóvenes nacionalistas y sacerdotes denunciaban la falta de libertades, y apoyaban y participaban en las movilizaciones obreras.

Esa secularización de la sociedad española coincidió en el tiempo con tendencias generales de cambio que llegaban desde el Concilio Vaticano II. La opinión y práctica católicas comenzó a ser más plural, con sacerdotes jóvenes que abandonaban la ideología tradicional, trabajadores de la JOC (Juventud Obrera Católica) y de la HOAC (Hermandad Obrera de Acción Católica) que militaban en contra del franquismo, y sectores cristianos que elucubraban con los marxistas sobre la futura sociedad que seguiría al derrumbe del capitalismo. Curas y católicos que hablaban de democracia y socialismo, y criticaban a la dictadura y a sus manifestaciones más represivas. Todo eso era nuevo en España, muy nuevo, y parece lógico que provocara una reacción en

197

amplios sectores franquistas, acostumbrados a una Iglesia servil y entusiasta con la dictadura.

Cuando murió el «invicto Caudillo», el 20 de noviembre de 1975, la Iglesia católica española ya no era el bloque monolítico que había apoyado la cruzada y la venganza sangrienta de la posguerra. Pero el legado que le quedaba de esa época dorada de privilegios era, no obstante, impresionante en la educación, en los aparatos de propaganda y en los medios de comunicación. Lo que hizo la Iglesia en los últimos años del franquismo fue prepararse para la reforma política y la transición a la democracia que se avecinaba.

Las dictaduras, no obstante, no se sostienen sólo en las fuerzas armadas, en la represión o en la legitimación que de ellas hacen los poderes eclesiásticos. Para sobrevivir y durar necesitan bases sociales y la dictadura de Franco no podía ser en ese aspecto una excepción. Los apoyos del franquismo fueron amplios. Salvo los más reprimidos, perseguidos y silenciados, a los que la dictadura excluyó y nunca tuvo en cuenta, el resto de esa España que había estado en el bando de los vencidos se adaptó, gradualmente y con el paso de los años, con apatía, miedo y apoyo pasivo, a un régimen que defendía el orden, la autoridad, la concepción tradicional de la familia, los sentimientos españolistas, la hostilidad beligerante contra el comunismo y un inflexible conservadurismo católico.

Las autoridades estatales modernas, además de gobernar, han de administrar a las sociedades y dirigir las economías. En los años posteriores a la Segunda Guerra Mundial, especialmente en los años sesenta, ningún régimen del mundo se quedó al margen del impulso del «desarrollo». La dictadura franquista también lo hizo y los cambios producidos por esas políticas desarrollistas ampliaron y transformaron sus bases sociales. El crecimiento económico fue presentado como la consecuencia directa de la paz de Franco, en una campaña orquestada por Manuel Fraga desde el Ministerio de Información y Turismo y plasmada en la celebración en 1964 de los XXV Años de Paz, que llegó hasta el pueblo más pequeño de España. El desarrollismo y la machacona insistencia en que todo eso era producto de la paz de Franco, dieron una nueva legitimidad a la dictadura y posibilitaron el apoyo, o la no resistencia, de millones de españoles.

Pese a los desafíos generados por los cambios socioeconómicos y la racionalización del Estado y de la Administración, el aparato del poder político de la dictadura se mantuvo intacto, garantizado el orden por las fuerzas armadas, con la ayuda de los dirigentes católicos, de la jerarquía eclesiástica y del Opus Dei. Esa dictadura «desarrollista», sin embargo, no supo abordar con éxito las consecuencias del cambio económico y social que ella misma había inducido. Dicho de otra forma, surgió una contradicción o disyunción entre las estructuras socioeconómicas, modificadas en la década de los sesenta, y la política, que no se democratizó. Los cambios socioeconómicos hicieron «necesarios» los cambios en la política y eso es lo que provocó la crisis final. El franquismo no cayó antes porque vivía Franco, que nunca estuvo dispuesto a ceder su poder, porque el Ejército y las fuerzas de policía garantizaban su continuidad, y la oposición política, dividida y con intereses enfrentados, no pudo organizar nunca una movilización amplia y decisiva contra la dictadura.

La España de 1939 y la de 1975 se parecían poco. Una profunda transformación económica y social había causado grandes cambios en las clases medias y trabajadoras y en la administración del Estado. Los sindicatos ya no eran agentes de la revolución social sino instrumentos para conseguir libertades democráticas. La República, el anarquismo y el socialismo desaparecieron de las reivindicaciones, como desapareció también el anticlericalismo, el anticapitalismo y el problema de la reforma agraria, algunos de los ejes fundamentales de las luchas sociales y políticas de los años treinta.

La salida democrática, no obstante, no tenía por qué resultar tan fácil. Más de una generación de españoles creció y vivió sin ninguna experiencia directa de derechos o procesos democráticos. Al ejército de Franco, unido en torno a él y que no había sufrido una derrota militar, como ocurrió en otras dictaduras, le costó asimilar los cambios. Los gobernantes, encabezados por Arias Navarro, conservaban casi intacto el aparato político y represivo del Estado. Un Gobierno autoritario prolongado tiene efectos profundos sobre las estructuras sociales y políticas, en los valores individuales y en los comportamientos de los diferentes grupos sociales.

TRANSICIÓN Y DEMOCRACIA

CAPÍTULO 13

LA TRANSICIÓN

El 20 de noviembre de 1975, la fecha de la muerte de Franco, no había ningún guión escrito, ningún camino fijado de antemano para que una dictadura autoritaria de casi cuatro décadas se convirtiera de manera pacífica en una democracia. Las cosas evolucionaron de una manera determinada, pero pudieron haber sido distintas. El resultado final, por lo menos a partir de 1982, fue una monarquía parlamentaria basada en una Constitución democrática, con un amplio catálogo de derechos y libertades, el fruto de una transición compleja, sembrada de conflictos, de obstáculos previstos y de problemas inesperados, en un contexto de crisis económica y de incertidumbre política.

Muchos acontecimientos en apenas siete años de historia. En un primer período, hasta las elecciones generales de 1977, las elites políticas procedentes del franquismo llevaron adelante una reforma legal de las instituciones de la dictadura, empujadas desde abajo por las fuerzas de la oposición democrática y por una amplia movilización social. Un segundo paso llevaría desde la formación de un Parlamento democrático, con el poder y la voluntad de elaborar una Constitución, hasta la aprobación del texto consensuado por los principales partidos políticos en el referéndum celebrado en diciembre de 1978. En los años siguientes se inició el desarrollo del Estado de derecho y la organización territorial autonómica en medio de graves problemas como el involucionismo militar, el terrorismo o la crisis del sistema de partidos. Cuando los socialistas llegaron al poder, después de la victoria arrolladora de octubre de 1982, se podía decir que la Transición había concluido y que la democracia caminaba hacia su consolidación.

La Reforma

El 22 de noviembre de 1975, en el hemiciclo de las Cortes, el príncipe Juan Carlos de Borbón y Borbón juraba su cargo como nuevo rey España según lo dispuesto en la Ley de Sucesión de la Jefatura del Estado. Lo que entonces empezaba no tenía un curso fijo ni un plan determinado. Había tanta ilusión y expectación como ambigüedad e incertidumbre. Todo el mundo, dentro y fuera de España, reconocía que se iba a abrir una nueva época histórica, pero eran muy pocas las coincidencias en torno a la manera de llevar adelante ese proceso, quiénes serían sus protagonistas y cuál sería su alcance y resultado final. Desde luego, el grueso caparazón del régimen franquista que controlaba el poder no contenía el embrión de la democracia y tampoco el nuevo jefe del Estado ofrecía las mejores garantías. En aquellos momentos, la oposición democrática no se planteaba otro escenario que no fuera el de la ruptura política, la movilización social y la constitución de un Gobierno provisional sin ataduras con el pasado.

En el discurso de su proclamación, el Rey había basado su legitimidad en tres principios diferentes: la tradición histórica, las leyes fundamentales del reino y el mandato del pueblo. Pero lo cierto es que la corona no le llegaba por sucesión real —el derecho al trono seguía en manos de su padre, don Juan, que permanecía en el exilio— y que los parlamentarios que le escuchaban en las Cortes no representaban, ni mucho menos, la voluntad de la soberanía nacional. Su única legitimidad en esos momentos procedía del testamento político del dictador, de la legalidad franquista vigente. Si quería salvaguardar la Monarquía, tenía que servirse de ella para iniciar un proceso de reforma, controlado desde el interior de las instituciones, que permitiera la creación sin sobresaltos de un régimen representativo homologable dentro del marco político europeo. Un difícil equilibrio entre la continuidad y el cambio.

El primer paso llegó, el 3 de diciembre, con el nombramiento de Torcuato Fernández-Miranda como presidente de las Cortes y del Consejo del Reino, el encargado de preparar el terreno para un futuro Gobierno reformista. Un papel que, desde luego, no iba a desempeñar el Presidente del primer Gabinete de la Monarquía, Arias Navarro, que bien podía considerarse como el último de la dictadura. Su ratificación al frente del Ejecutivo truncaba las esperanzas de aquellos que esperaban una política aperturista más decidida. De todas formas, el franquismo recalcitrante de Arias Navarro, cercano a las posturas inmovilistas del búnker, era minoritario dentro del Consejo de Ministros nombrado por el Rey el 12 de diciembre de 1975. En ese Gabinete destacaban políticos de mayor altura y claro talante reformista como Manuel Fraga, José María de Areilza, Antonio Garrigues y Alfonso Osorio. Junto a ellos aparecían hombres más jóvenes que serían protagonistas de la historia política de los años posteriores: Adolfo Suárez, Rodolfo Martín Villa y Leopoldo Calvo Sotelo.

La clase política formada en la administración del Estado consideraba que podía prescindir de la oposición en todo lo que no fuera una toma de contacto informal. Tenía en sus manos la garantía del aparato represivo del sistema y la aquiescencia esperada de una parte importante de la población educada en la desconfianza hacia los cambios políticos, identificada con los valores de la seguridad y el orden. Sobre la base de ese «franquismo sociológico», el primer Gobierno de la Monarquía esperaba encontrar un camino allanado para una reforma continuista que partiera de las estructuras políticas del régimen sin necesidad de una consulta popular previa ni de dialogar con la oposición. Siempre y cuando, claro está, pudiera sortear las reticencias de los sectores más inmovilistas y desmontar la movilización social que desde la calle exigía el cambio democrático.

Pero al cabo de seis meses, al terminar la primavera de 1976, era evidente que el plan inicial del Ejecutivo quedaba en vía muerta. La intransigencia franquista de personalidades como el vicepresidente primero para Asuntos de Defensa, el teniente general Fernando de Santiago, sacó a la luz el carácter reaccionario de la cúpula militar. En las Cortes, después de muchas dilaciones, el Gobierno consiguió en mayo de 1976 la aprobación de una Ley de Reunión de carácter restrictivo y unas semanas más tarde pasó también el trámite parlamentario el proyecto de Ley de Asociaciones. Pero se dejaba fuera de la legalidad al PCE y los procuradores rechazaban la reforma de los artículos del Código Penal que calificaban como delito la pertenencia a partidos políticos. Quedaba claro que el continuismo del primer Gobierno había tocado techo.

Lo que realmente desbloqueó la situación, terminó con el Gobierno de Arias Navarro y removió los obstáculos que impedían el tránsito hacia un sistema de libertades fue la creciente y poderosa presión social ejercida por una parte no desdeñable de la población española. La protesta no procedía sólo de las filas del movimiento obrero. Junto a las movilizaciones que tenían su origen en los centros de trabajo proliferaron las acciones protagonizadas por sectores sociales, colectivos y organizaciones de diverso signo que habían surgido en los últimos años del franquismo: las asociaciones estudiantiles, el movimiento ciudadano de los barrios, los sectores de base de la Iglesia, las reivindicaciones de intelectuales y profesionales, los jornaleros y pequeños propietarios agrícolas y otros grupos más o menos heterogéneos que representaban a nuevos movimientos sociales como el feminismo, el pacifismo o el ecologismo.

Una auténtica eclosión de protestas democráticas que en los meses iniciales de 1976 sacudió el territorio español, un aluvión de huelgas, manifestaciones, encierros, asambleas, demandas salariales, peticiones de amnistía y libertad y reivindicaciones de autonomía que hicieron comprender a las elites que monopolizaban el poder, y al propio Rey, que la situación se escapaba de sus manos y podían perderlo todo si no se emprendía un proyecto reformista más serio y decidido.

En las universidades, donde había más de medio millón de estudiantes matriculados, se multiplicaron las manifestaciones, las asambleas, las campañas de apoyo a huelguistas, las reuniones de carácter cultural y festivo con contenido político y los paros a favor de la amnistía que muchas veces acababan con cargas policiales, redadas, registros domiciliarios, expedientes disciplinarios y el cierre temporal de los centros. Dentro del movimiento estudiantil el PCE era mayoritario, como en muchas asociaciones vecinales y colectivos de barrios, pero el movimiento ciudadano se extendía hacia asociaciones de mujeres, clubes juveniles, grupos culturales y agrupaciones profesionales con un perfil ideológico más difuso. Todos ellos estaban unidos en torno a reivindicaciones comunes como el problema de la vivienda, la falta de servicios públicos, las reclamaciones medioambientales o la carestía de la vida.

La protesta urbana, nacida en los barrios periféricos, derivó pronto hacia cuestiones políticas como las peticiones de amnistía y la demanda de ayuntamientos democráticos. El movimiento vecinal funcionó como una plataforma de concienciación política que amplió las bases sociales de la oposición. Y fue también una extraordinaria escuela de politización para las mujeres, verdaderas protagonistas del tejido asociativo vecinal. En los barrios surgieron movilizaciones de carácter netamente feminista, impulsadas por el Movimiento Democrático de Mujeres, que combinaron las luchas por la igualdad legal y el final de las discriminaciones de género con campañas a favor de los presos políticos y en pro de la amnistía.

En los barrios de las grandes ciudades fueron famosos los *curas obreros*, el clero «contestatario» que tanto disgustó al régimen franquista en sus últimos años, cercano a organizaciones de base como la Hermandad Obrera de Acción Católica (HOAC) y la Juventud Obrera Cristiana (JOC). Hubo religiosos que se implicaron en comisiones pro amnistía, en la condena de las torturas, en la protección de Comisiones Obreras y en la cesión de los templos para encierros de trabajadores. También en el fomento del asociacionismo agrario. En este sector destacaron las acciones colectivas de los pequeños agricultores, que protestaron por los precios agrarios y la falta de representatividad campesina a través de concentraciones locales, cortes de carreteras, tractoradas y marchas hacia Madrid organizadas por las Comisiones Obreras del Campo, la Federación de Trabajadores de la Tierra-UGT y por las Uniones de Agricultores y Ganaderos aglutinadas en la Coordinadora de Agricultores y Ganaderos (COAG).

En el invierno de 1975 se habían comenzado a sentir con dureza los efectos de la recesión económica internacional provocada por la crisis del petróleo de 1973. La conflictividad laboral se disparó a partir de diciembre de 1975 no sólo por el número de huelgas y de obreros implicados, sino también por la extensión de las protestas hacia todos los sectores productivos a lo largo y ancho del territorio nacional. Una movilización social desconocida desde hacía cuarenta años, vertebrada fundamentalmente en torno a Comisiones Obreras, la organización obrera más influyente.

La mayoría de las acciones colectivas de protesta, aunque en general se desarrollaron por medios pacíficos, se situaban fuera de la legalidad vigente, todavía sin derechos de expresión, reunión y asociación. La política de orden público dirigida por Fraga tuvo un carácter claramente discrecional, con una persecución implacable de los actos promovidos por Comisiones Obreras o por el PCE. El aparato represivo del franquismo seguía funcionando con todos sus instrumentos. En 1976 había en España más de un millar de presos políticos, los miembros de la Brigada de Investigación Político-Social trabajaban con ahínco, el Tribunal de Orden Público (TOP) abrió en ese año casi cinco mil causas con penas de cárcel, sanciones administrativas y elevadas multas, y la censura se empleaba a fondo. En la calle se repetían las cargas policiales, los encarcelamientos arbitrarios y los malos tratos y torturas en los cuarteles y comisarías. Y también disparos, como el trágico balance del asalto policial a la iglesia vitoriana de San Francisco de Asís: cinco trabajadores muertos y varias docenas de heridos. La masacre del 3 de marzo en Vitoria desencadenó una amplia campaña de protesta en toda España contra la impunidad y la brutalidad de la represión.

Las movilizaciones de solidaridad con los presos políticos y con las víctimas de la violencia denunciaban también la permisividad de la policía, cuando no la connivencia, con los atentados de radicales ultraderechistas como las bandas de Guerrilleros de Cristo Rey o los jóvenes militantes de Fuerza Nueva. Los sucesos más sangrientos tuvieron lugar en el mes de mayo en Montejurra, la montaña navarra, enclave tradicional de peregrinación carlista, donde un grupo de extrema derecha ocasionó dos muertos y más de treinta heridos.

Para entonces las protestas contra la represión y las movilizaciones pro amnistía habían acercado las posturas de la Junta Democrática, liderada por el PCE, y la Plataforma de Convergencia Democrática, encabezada por el PSOE, unidas bajo el nombre de Convergencia Democrática, la «Platajunta». Obligado por las circunstancias, el 1 de julio el Rey llamó a Arias Navarro para exigirle su dimisión y formar un nuevo Gabinete encabezado, para sorpresa de casi todos, por Adolfo Suárez.

Suárez era un falangista católico con buenos contactos desde su etapa anterior al frente de Radio Televisión Española y su paso decisivo por la Secretaría General del Movimiento. No estaba adscrito de manera clara a ningún sector del régimen y reunía las dosis de audacia, simpatía, pragmatismo y serenidad necesarias para encabezar un proceso que, al tiempo que llevara al país hacia la democracia, le diera credibilidad a la Monarquía. En su Gobierno continuaban los ministros militares pero destacaban jóvenes reformistas de talante moderado y perfil democristiano como Landelino Lavilla, Alfonso Osorio, Marcelino Oreja, Fernando Abril o Leopoldo Calvo Sotelo. El 19 de julio las Cortes aprobaron la reforma del Código Penal que permitía la legalización de algunos partidos y el día 30 de julio el Gobierno publicó un primer decreto de amnistía, parcial pero significativo, y comenzaron los contactos con los líderes de la oposición democrática, incluidos nacionalistas como Pujol y socialistas como Felipe González y Tierno Galván.

A finales de agosto de 1976 el proyecto de la Ley para Reforma Política ya estaba encima de la mesa del Consejo de Ministros. Suárez lo presentó a la cúpula del Ejército en una reunión de la que los altos mandos militares salieron convencidos de que no se legalizaría al PCE. Poco después, la oposición abierta del general Fernando de Santiago a la legalización de las centrales sindicales provocó su destitución como vicepresidente primero y ministro para Asuntos de la Defensa y el nombramiento del general Manuel Gutiérrez Mellado, uno de los pocos militares de talante liberal y reformista.

La mayor tolerancia del Gobierno hizo posible que el 11 de septiembre se celebrara la *Diada*, la fiesta nacional de Cataluña, con la triple petición de libertad, amnistía y estatuto de autonomía, y que la mayoría de los grupos políticos y sindicales se movieran por toda España con una cierta permisividad. La situación más conflictiva se vivía en el País Vasco, con graves enfrentamientos entre la policía y los manifestantes, movilizaciones pro amnistía y la tensión creada por la sucesión de asesinatos cometidos por ETA, 26 a lo largo de ese año.

La fuerza política más importante, el PNV, formaba parte de la Platajunta, que había cambiado su programa de «ruptura democrática» por una «ruptura pactada». Con una estrategia moderada que pensaba más en las condiciones de una futura negociación con el Gobierno que en mantener las movilizaciones de protesta. El acercamiento al resto de los grupos de oposición democrática culminó el 23 de octubre con el pacto alcanzado con varias coordinadoras regionales de Cataluña, Valencia, Galicia, Canarias y Baleares. La Plataforma de Organismos Democráticos nacida de ese acuerdo pidió la convocatoria de Cortes Constituyentes, la amnistía completa, la legalización de todos los partidos y sindicatos, la concesión de estatutos de autonomía y la disolución de las instituciones franquistas. En el olvido había quedado la exigencia de un referéndum para decidir la forma del Estado, una consulta popular sobre la continuidad de la Monarquía que ya nunca se plantearía.

El proyecto de Ley para la Reforma Política pasó por el Consejo Nacional del Movimiento y llegó a las Cortes, donde fue aprobada el 18 de noviembre con el voto favorable de 435 de los 531 procuradores. Por eso a esas Cortes se las llamó las del *harakiri*, porque habían propiciado voluntariamente su desmantelamiento. Pero no fue así. Para superar el principal escollo, los 183 procuradores pertenecientes a Alianza Popular (AP), la coalición de notables franquistas que acababa de crear Fraga, el Gobierno tuvo que aceptar cambios significativos que favorecían la creación de un sistema bipartidista y privilegiaban el voto conservador de las provincias pequeñas. Muchos procuradores podían pensar que volverían al Parlamento elegidos por sus provincias de origen, beneficiados por el apoyo gubernamental o como senadores de designación real. Otros fueron convencidos con promesas de premios, prebendas y cargos públicos. Los más sensatos eran conscientes de que una propuesta más rupturista podía cuestionar su pasado, sus privilegios y sus patrimonios.

El éxito en las Cortes se repitió en las urnas unas semanas más tarde, en el referéndum celebrado el 15 de diciembre. El Gobierno consiguió la movilización electoral de una mayoría de la población que conservaba la imagen de un pasado traumático, el de la Guerra Civil, y privilegiaba todavía los valores de la paz, el orden y la estabilidad. La elevada participación, un 77 por ciento del censo, mostró las limitaciones de la oposición democrática, que había pedido la abstención. Los votos afirmativos superaron el 94 por ciento de los escrutados, un claro reconocimiento de la opinión pública a la línea reformista del Gobierno.

En diciembre de 1976, el PSOE pudo celebrar sin problemas su primer congreso dentro de España. Pero el Gobierno no se mostraba dispuesto a aceptar legalmente la existencia del PCE. Las cosas empezaron a cambiar a partir de la llamada *semana negra* de Madrid, de los sucesos ocurridos entre el 23 y el 28 de enero de 1977. En esos días los Grupos de Resistencia Antifascista Primero de Octubre (GRAPO), el brazo armado de una escisión comunista, secuestraron al teniente general Emilio Villaescusa y asesinaron a tres policías. En las calles de la capital se vivió la muerte de un estudiante a manos de un grupo de ultras, el fallecimiento posterior de una joven golpeada por un bote de humo en una manifestación de protesta y la irrupción de unos pistoleros de ultraderecha en un despacho de abogados laboralistas ligados a CC.OO. con el resultado de cinco muertos y cuatro heridos graves.

Los autores de la matanza de la calle Atocha provocaron el efecto contrario al que perseguían. No hubo movimientos en los cuarteles, el Gobierno mantuvo la calma y los comunistas empezaron a recibir innumerables muestras de solidaridad y el reconocimiento general por el orden y la serenidad que supieron mostrar en la impresionante manifestación de duelo por los abogados asesinados.

El 27 de febrero, Suárez se reunió en secreto con Carrillo y le adelantó la posibilidad de la legalización a cambio de la aceptación de la Corona y de los símbolos del Estado. El 9 de abril, en medio de las vacaciones de Semana Santa, el Gobierno permitió la inscripción legal del PCE. En su primera reunión como partido legal el Comité Central del PCE aprobó el reconocimiento de la monarquía parlamentaria y su líder apareció en la rueda de prensa posterior al lado de la bandera «de todos los españoles».

El proceso de reforma legal que iba a desembocar en la celebración de elecciones generales no encontró demasiadas trabas. El Gobierno ya había disuelto en el mes de enero el Tribunal de Orden Público, en febrero había publicado el decreto que permitía la inscripción de asociaciones políticas y a lo largo del mes de marzo y en los primeros días de abril aprobó el derecho de asociación sindical, con la inmediata legalización de CC.OO., UGT y USO. Tampoco hubo resistencias serias al desmantelamiento de las instituciones del régimen. Todos los funcionarios de la Organización Sindical y los adscritos a los organismos del Movimiento fueron absorbidos por la Administración.

Hacia la Constitución

El 15 de junio de 1977 dieciocho millones y medio de españoles y españolas mayores de veintiún años, el 78,7 por ciento del censo, acudieron a votar en libertad. Muy pocos recordaban haberlo hecho antes. El triunfo en porcentaje de votos, 34,4 por ciento, y en número de escaños, 165, correspondió a la Unión de Centro Democrático (UCD), presidida por Adolfo Suárez, un partido constituido cinco semanas antes de las elecciones por quince organizaciones diferentes y por políticos de origen muy distinto. Los votos de la UCD procedían sobre todo de las zonas rurales y de las clases medias urbanas. Suárez contó con el dominio de Televisión Española, que tan bien conocía, y con el control de los gobiernos civiles, las diputaciones y los ayuntamientos. Pero no hay que negar que era el político mejor valorado en todas las encuestas de opinión pública, que muchos le consideraban el hombre del Rey y que le avalaba su trayectoria reformista y moderada.

En segundo lugar quedó el PSOE, con el 29,3 por ciento de los votos y 119 diputados. La actuación práctica de sus dirigentes, en especial de Felipe González, tuvo la habilidad y flexibilidad necesarias para obtener respaldo internacional, absorber a otros grupos socialistas y conseguir el apoyo de la mayor parte de los electores de los núcleos urbanos e industriales que identificaban sus siglas con la apuesta por la libertad y las transformaciones sociales. A la izquierda del PSOE, el PCE obtuvo el 9,3 por ciento de los votos y 19 escaños, unos pobres resultados si se tienen en cuenta sus expectativas de partida, con una clara hegemonía en el mundo sindical y universitario. A la derecha de la UCD quedaba Alianza Popular, el partido fundado por Fraga para agrupar a las figuras más caracterizadas del régimen franquista. AP consiguió el 8,8 por ciento de los sufragios y 16 diputados. Las elecciones barrieron al resto de las siglas políticas con la salvedad de los nacionalistas catalanes y vascos. El Pacte Democràtic per Catalunya de Jordi Pujol consiguió el 2,8 por ciento de los votos y 11 diputados, y el PNV alcanzó el 1,7 por ciento de los votos y 8 diputados.

En el verano de 1977 el nuevo Gabinete de Suárez, formado por los principales *barones* de la coalición electoral, lejos de la mayoría absoluta, tuvo que gobernar en minoría con alianzas puntuales y la búsqueda de un amplio consenso ante los grandes problemas y retos pendientes: acordar una ley general de amnistía, encauzar las demandas de autonomía de las diferentes regiones y nacionalidades, atajar la crisis económica y elaborar una Constitución.

La Ley de Amnistía aprobada el 15 de octubre de 1977 por todos los grupos parlamentarios, con la abstención de Alianza Popular, incluía a todos los actos de intencionalidad política y también los delitos y faltas cometidos por las autoridades, y agentes del orden público. Los presos de ETA y los del GRAPO quedaban en libertad y el Estado renunciaba a abrir cualquier investigación judicial o a exigir responsabilidades contra los funcionarios públicos. Era la expresión más visible y explícita del acuerdo tácito que sellaron las elites procedentes del franquismo y las fuerzas de la oposición para no convertir el pasado más espinoso en objeto de debate político. La cultura política de los ciudadanos y el discurso público de los parlamentarios estaban influidos por el recuerdo traumático de la guerra y el miedo a que se reprodujera una situación similar en medio de un proceso dominado por la incertidumbre causada por la crisis económica, la conflictividad social, el terrorismo de uno y otro signo y la inquietud ante las amenazas de involución militar.

Un pacto político de olvido del pasado, acordado por las elites parlamentarias, y un pacto social y económico negociado también desde arriba, firmado por los dirigentes de los principales partidos. En el verano de 1977 el déficit del sector exterior seguía creciendo de manera alarmante, la inflación rondaba el 40 por ciento y una tasa de paro hasta entonces desconocida, cercana al 7 por ciento, superaba ya la media de la OCDE. El día 25 de octubre, después de varias semanas de largas reuniones, se firmaron los llamados Pactos de La Moncloa, aprobados poco después en el Parlamento. En lo esencial, los acuerdos suponían la aceptación por parte de las fuerzas de la izquierda de una política de moderación y contención salarial para frenar la inflación a cambio de una serie de promesas de reformas fiscales, jurídicas, institucionales y sociales. Entre ellas, la creación de un impuesto sobre el patrimonio y el establecimiento del Impuesto sobre la Renta de las Personas Físicas (IRPF), que buscaban la armonización fiscal con Europa, la transformación del sistema financiero, el control del gasto público, la revisión del Código de Justicia Militar y de la Ley de Orden Público, el control parlamentario de los medios de comunicación, medidas para frenar la especulación y favorecer el acceso a la vivienda, la extensión de la enseñanza gratuita, la ampliación del subsidio de desempleo, el refuerzo presupuestario de la Seguridad Social y la creación de un nuevo marco de relaciones laborales, el Estatuto de los Trabajadores, que no se aprobaría hasta 1980.

Sin la participación de los sindicatos, excluidos de las negociaciones, y sin un órgano de supervisión de los acuerdos, muchas promesas quedaron en el papel y otras fueron seriamente recortadas. El éxito de los Pactos de La Moncloa fue más político que social o económico. El Gobierno logró la legitimidad y el consenso que necesitaba para promover medidas de austeridad impopulares y el escenario de cierta estabilidad y distensión preciso para comenzar el proceso constituyente.

Otro problema sin abordar todavía era el de las reivindicaciones autonomistas. Era imposible olvidar las imágenes de la impresionante manifestación del 11 de septiembre de 1977 en Barcelona, una *Diada* con un millón de asistentes. Hacía meses que el Gobierno mantenía conversaciones con Josep Tarradellas, el presidente histórico de la Generalitat, aceleradas para desarmar la iniciativa de la recién creada Asamblea de Parlamentarios Catalanes, que pedía el Estatuto de 1932 y un Estado federal. El 29 de septiembre un decreto ley ordenó de forma provisional la constitución de la Generalitat. El Gobierno consiguió que Tarradellas reconociera la unidad de España, desmontó la alternativa rupturista encabezada por los socialistas y comunistas catalanes y dejó el camino libre para que el proceso constitucional perfilara los límites de un futuro Estado de las Autonomías.

La estrategia del Gobierno no obtuvo el mismo resultado en el País Vasco. José María de Leizaola, presidente nacionalista del Gobierno vasco en el exilio, no accedió a negociar con el Gobierno al margen de la Asamblea de Parlamentarios Vascos reunida en la Casa de Juntas de Guernica. En diciembre de 1977 se creó el Consejo General Vasco, presidido por un dirigente histórico socialista, Ramón Rubial. La oposición del PNV arreció por el rechazo de la mayoría de los parlamentarios navarros, pertenecientes a la UCD, a incorporarse a la Asamblea vasca. Quedaban pendientes el restablecimiento de los conciertos económicos para Vizcaya y Guipúzcoa, la convocatoria de juntas generales y el problema irresuelto del terrorismo. La amnistía había llegado tarde. Aunque en las navidades de 1977 no quedaban en las cárceles presos de ETA, a lo largo de 1978 se volvieron a llenar de activistas, muchos ellos acusados de los 68 asesinatos cometidos por la banda durante el proceso constituyente. Ni la organización terrorista ni su entorno político consideraban que el proceso de reformas de la Transición fuera otra cosa que la mera continuidad del régimen franquista.

El protagonismo principal en la redacción de la Constitución recayó en una ponencia compuesta por siete miembros de la Comisión Constitucional creada en el Congreso. Había tres representantes de la UCD, Gabriel Cisneros, Miguel Herrero de Miñón y José Pérez Llorca; uno del PSOE, Gregorio Peces Barba; uno de AP, Manuel Fraga; uno del PCE-PSUC, Jordi Solé Tura, y un séptimo diputado, Miquel Roca, en representación de los nacionalistas catalanes y vascos, aunque el PNV no tardó en desligarse. La ponencia trabajó durante el segundo semestre de 1977 y los primeros meses de 1978 en un anteproyecto que fue presentado a principios de mayo en el seno de la Comisión Constitucional. El acuerdo final alcanzado entre la UCD y el PSOE permitió superar las desavenencias principales, con concesiones y renuncias de unos y de otros, y una ambigüedad calculada en la redacción de los artículos más controvertidos. El texto aprobado por la Comisión pasó en el verano por los trámites del Congreso y del Senado y el 31 de octubre se sometió a una última votación en ambas cámaras. En el Congreso hubo 325 votos favorables, 6 negativos, 14 abstenciones y 5 ausencias; en el Senado, 226 votos a favor y sólo 5 en contra, con 8 abstenciones. El resultado final reflejó el amplio consenso alcanzado entre la mayoría de los grupos parlamentarios a excepción de AP, que vio cómo 5 de sus diputados votaban en contra.

El largo proceso de redacción y discusión de la Constitución y la extensión final del texto, con 11 títulos, 169 artículos, 9 disposiciones transitorias, una derogatoria y otra final, dan fe de la complejidad del proceso y de las dificultades para alcanzar el consenso en torno a los principios y los límites que debía tener el «Estado social y democrático de Derecho». El Título I, que enumeraba los derechos y libertades fundamentales, fue uno de los más discutidos. Y no tanto por el carácter aconfesional del Estado, que reconocía de todas maneras la influencia social de la Iglesia católica, sino por cuestiones como la educación, la abolición de la pena de muerte o el derecho a la vida, con el problema de fondo del aborto. La aprobación del Título II, que declaraba que la forma política del Estado era la monarquía parlamentaria, tuvo menos problemas de los esperados. La Corona quedó incorporada con unas competencias restrictivas que, no obstante, dejaron en manos de Juan Carlos I dos potestades muy importantes: la designación del presidente del Gobierno y el mando supremo de las Fuerzas Armadas.

Las luces y las sombras del proceso constituyente quedaron reflejadas en el referéndum celebrado el 6 de diciembre de 1978. El 87 por ciento de los españoles que acudieron a las urnas respaldaron una Constitución claramente democrática, que acababa con todas las leyes del franquismo y definía un marco de convivencia ciudadana comparable al de los países europeos más avanzados. Sin embargo, la participación fue menor de la esperada, un 67 por ciento del censo, apenas un 45 por ciento en el caso del País Vasco, donde el PNV había pedido la abstención.

Los problemas de la consolidación

Las elecciones generales celebradas en marzo de 1979 no variaron en lo esencial el mapa político español. La UCD volvió a ganar, Suárez formó un nuevo Gabinete sin mayoría absoluta en las Cortes y el PSOE se afianzó como la fuerza principal de la oposición. Tampoco hubo sorpresas en las elecciones municipales del mes de abril, las primeras en España desde la Segunda República, que renovaron las elites políticas locales y permitieron el acceso al poder de la izquierda en las grandes ciudades gracias a los pactos de socialistas y comunistas. Llama la atención la baja participación, un 67 por ciento del censo en las generales y apenas un 60 por ciento en las municipales, un hecho que no pasó desapercibido para los medios de comunicación, que comenzaron a hablar de *desencanto,* un término impreciso que indicaba, para algunos, una cierta frustración de las expectativas de cambio generadas por el proceso de transición política.

Los procesos electorales del primer semestre de 1979 retrasaron la tramitación de los proyectos de autonomía que habían comenzado a elaborar las asambleas de parlamentarios del País Vasco y de Cataluña. Las primeras elecciones autonómicas, celebradas el 9 de marzo de 1980 en el País Vasco y el día 20 del mismo mes en Cataluña, configuraron un sistema político de hegemonía nacionalista, más claro en el caso vasco, donde el PNV de Carlos Garaikoetxea obtuvo el 38 por ciento de los votos, y algo más ajustado en el ámbito catalán, donde la coalición Convergència i Unió (CiU), encabezada por Jordi Pujol, consiguió el 28 por ciento de los sufragios. Más tardío fue el proceso de tramitación del estatuto gallego, aprobado en el referéndum celebrado en diciembre de 1980 y puesto en marcha en las elecciones autonómicas de octubre de 1981, donde las fuerzas nacionalistas obtuvieron unos resultados muy discretos frente al triunfo de AP, con más del 30 por ciento de los votos.

Para entonces, siguiendo la estela de las «comunidades históricas», las fuerzas políticas andaluzas habían conseguido, a través del referéndum realizado en febrero de 1980, el acceso a la autonomía por el camino del artículo 151 de la Constitución en vez de seguir la vía más lenta y restrictiva del artículo 143. Este hecho, sumado a los derechos forales conservados por Navarra y los regímenes especiales acordados para Baleares y Canarias supuso, en la práctica, la progresiva extensión del nivel máximo de competencias previsto por la Constitución a todas las regiones.

El fracaso de esta política territorial en el caso del País Vasco se debió a varios factores. El PNV, el partido mayoritario durante la Transición, manifestó una adhesión muy limitada a las instituciones. En la primavera de 1978 surgió Herri Batasuna, con un respaldo del 19 por ciento de los votos en las elecciones municipales, que rechazaba de forma rotunda el proceso de la Transición y justificaba las acciones terroristas de ETA. También el propio Estado fue responsable del déficit de legitimidad social experimentado en el País Vasco. Por su inacción, en el retraso en la legalización de la *ikurriña* y en la tardía concesión de la amnistía, cuando ya se había puesto en marcha un movimiento masivo de oposición al proceso reformista. Por su acción, en la respuesta disparatada de las fuerzas de orden público ante el problema de la violencia o el de la conflictividad social. Los años 1979 y 1980, los de la promulgación del estatuto y las primeras elecciones al Parlamento Vasco, fueron los más sangrientos de toda la historia de ETA. En ese breve espacio de tiempo, la escalada terrorista dejó una cuenta macabra de 167 asesinatos.

La oleada terrorista fue, sin duda, uno de los factores que más contribuyeron a exaltar los ánimos de los militares del búnker franquista. El malestar castrense había ido creciendo a partir de la legalización del PCE. La campaña de propaganda de la prensa ultraderechista difundía en los cuarteles la imagen de un país desgarrado por las acciones terroristas, las demandas disgregadoras de los nacionalistas, las vejaciones a la bandera y los símbolos patrióticos y la debilidad del Gobierno. El descontento de la cúpula del Ejército subió de tono durante 1979 por el desarrollo del proceso autonómico, la oleada de atentados de ETA y la política gubernativa dirigida por Gutiérrez Mellado desde la vicepresidencia del Gobierno y por Agustín Rodríguez Sahagún, el primer civil que llegaba al Ministerio de Defensa desde la época de la República.

Los contactos de los conspiradores comenzaron en el verano de 1980 y continuaron durante el otoño y el invierno de aquel año. Por fin, lo que muchos temían, el golpe de Estado, se produjo en las Cortes en la tarde del 23 de febrero de 1981. La sesión del Congreso de aquella tarde inolvidable no era un pleno ordinario. La entrada en el hemiciclo pistola en mano del teniente coronel Tejero, al mando de dos centenares de guardias civiles, impidió que se llevara a cabo la segunda votación de la propuesta de Leopoldo Calvo Sotelo como candidato a la presidencia del Gobierno. Para sorpresa de la mayoría de los españoles y de algunos de sus ministros, el 27 de enero Suárez había presentado su dimisión al Rey, que no intentó disuadirle. El factor determinante fue la división interna de la UCD, donde era difícil separar las disputas ideológicas de los enfrentamientos personales.

La crisis interna del partido del Gobierno y la dimisión de Suárez dieron el último empujón a los mandos militares. La irrupción en el Congreso de Tejero era parte de una trama dirigida por el general Alfonso Armada, segundo jefe del Estado Mayor, con la colaboración decidida de Milans del Bosch, al frente de la capitanía general de Valencia. El plan de los golpistas preveía la marcha sobre Madrid de los vehículos blindados de la División Acorazada Brunete, el concurso posterior de los capitanes generales al mando de las diferentes regiones militares y la intervención final de Armada, antiguo secretario general de la Casa del Rey, para actuar en nombre de la Corona y encabezar un gobierno de salvación nacional. Un golpe monárquico contra la democracia.

La actuación de Juan Carlos I fue decisiva desde los primeros momentos, cuando se negó a recibir a Armada en el Palacio de la Zarzuela y comenzó a telefonear a los capitanes generales. La actitud de la mayoría de ellos, de ideología franquista y claramente hostiles al régimen constitucional, se movió entre la duda y la ambigüedad. Los pocos que manifestaron su voluntad inequívoca de mantenerse al lado de la legalidad lo hicieron más por su sentido de obediencia al Rey, el jefe supremo de las Fuerzas Armadas, que por sus convicciones democráticas. Pero su lealtad resultó determinante. Tejero quedó aislado en el Congreso y, después de largas horas de confusión e incertidumbre, a la una y veinte minutos de la madrugada del 24 de febrero, los televisores de toda España reprodujeron el mensaje grabado del Rey que ordenaba el mantenimiento del orden constitucional. El golpe de Estado había fracasado.

Sin que fuera su propósito, los militares golpistas ayudaron a consolidar el régimen democrático que habían intentado derribar. El 27 de febrero se celebraron en toda España manifestaciones multitudinarias, con varios millones de ciudadanos ocupando las calles para apoyar la democracia y la Constitución. Y también contribuyeron a reforzar la legitimidad de Juan Carlos I como monarca constitucional, a multiplicar su popularidad como garante de los principios democráticos.

El 25 de febrero, dos días después del intento de golpe de Estado, Leopoldo Calvo Sotelo consiguió su investidura como presidente gracias a los votos favorables del grupo de Fraga y de los nacionalistas catalanes. La primera tarea del nuevo Gobierno tenía que ser, por fuerza, la normalización de las relaciones con las Fuerzas Armadas. El ministro de Defensa, Alberto Oliart, procedió con cautela a renovar los puestos clave de la cúpula militar y renunció a investigar a fondo la trama golpista del 23-F. La condescendencia del Gobierno permitió que sólo 32 militares y un civil se sentaran en el banquillo de los acusados.

Entre las iniciativas abordadas por Calvo Sotelo destaca la política de concertación socioeconómica, que le permitió llegar a un Acuerdo Nacional sobre el Empleo (ANE), firmado en junio de 1981 por el Gobierno, la patronal y las dos centrales sindicales mayoritarias, CC.OO. y UGT, con el apoyo de Felipe González. El entendimiento entre centristas y socialistas se mantuvo en otro de los problemas pendientes, el desarrollo completo del Estado de las Autonomías. En los primeros meses de 1982 se promulgaron diez estatutos, en julio se aprobó en el Congreso la

Ley Orgánica de Armonización del Proceso Autonómico (LOAPA), con la oposición cerrada del PNV y CiU, que presentaron un recurso ante el Tribunal Constitucional. Al final del verano, cuando las Cortes cerraron sus puertas, sólo quedaban pendientes los estatutos de Extremadura, Baleares, Madrid y Castilla y León, que no tendrían obstáculos para pasar los últimos trámites al comienzo de la siguiente legislatura.

El programa de Gobierno de Calvo Sotelo incluía otro gran reto: salir del aislamiento exterior y entrar en las instituciones europeas, un paso necesario para asegurar la consolidación de la democracia. La apertura formal de las negociaciones con la Comunidad Económica Europea, iniciada en 1977, quedó en vía muerta por la oposición frontal de Francia al ingreso de España. Para salir de esta situación, Calvo Sotelo decidió solicitar la adhesión de España a la OTAN. El Gobierno pensaba robustecer la posición negociadora española en Bruselas, acercar posturas con el Reino Unido en relación con el contencioso de Gibraltar y, de paso, impulsar la modernización y profesionalización del Ejército español. Llevar España a Europa y traer Europa al Ejército. En octubre de 1981 el Congreso aprobó la solicitud de adhesión y en mayo de 1982 España pasó a ser un miembro más de la OTAN. Con la oposición frontal, eso sí, del PSOE, que emprendió una intensa campaña de movilización social con el lema «OTAN, de entrada no», y la promesa de convocar un referéndum cuando llegara al poder.

El éxito arrollador del PSOE en las elecciones generales de octubre de 1982 vino precedido del desmoronamiento total de la UCD. El PSOE era un partido con cien años de historia pero encabezado por líderes jóvenes, con unas siglas revolucionarias pero un programa reformista que prometía estabilidad y seguridad, con todo el peso de los valores tradicionales de la izquierda pero con promesas que hablaban sólo del futuro y un eslogan que pedía el voto «por el cambio». Para muchos testigos contemporáneos, y para la mayoría de los historiadores, la transición a la democracia terminó la noche del 28 de octubre de 1982, cuando Felipe González salió a la ventana del hotel Palace de Madrid sabiendo que iba a ser el próximo presidente del Gobierno, el primer presidente socialista de la historia de España salido de unas elecciones.

CAPÍTULO 14

LA DEMOCRACIA

El triunfo espectacular del PSOE en las elecciones generales de 1982 fortaleció el proceso de consolidación democrática. Los extraordinarios resultados permitieron a Felipe González liderar un Gobierno fuerte capaz de abordar las reformas militares, económicas y sociales pendientes. Los socialistas permanecieron en el poder casi catorce años, un amplio período de hegemonía política en el que se desarrolló el modelo autonómico, se extendió el Estado del Bienestar y se produjo la integración de España en las instituciones europeas. Pero también fueron los años de las actividades ilegales en la lucha antiterrorista, los escándalos de corrupción, las protestas de los sindicatos y una crisis económica final, a partir de 1992, que afectó con dureza a la economía española con un altísimo porcentaje de desempleo.

Cuando el siglo XX terminó, Felipe González ya no estaba en el poder, ni siquiera al frente del PSOE, sumido en una crisis de la que le costaría salir. Desde 1996 gobernaba José María Aznar, el líder del Partido Popular. Su primera legislatura estuvo marcada por el crecimiento económico y un discurso ideológico moderado que cambió a partir del año 2000, cuando consiguió la mayoría absoluta y puso en marcha un programa neoconservador de derechas dominado por una estrategia política de confrontación.

Al comenzar el siglo XXI, España era un país moderno y desarrollado, desconocido para cualquier observador que llevara varias décadas fuera de sus fronteras. La sociedad había dejado atrás algunos de los problemas históricos que más la habían preocupado en el pasado. Pero también heredaba conflictos antiguos aún no resueltos, como el de la organización territorial del Estado o la pervivencia del terrorismo, y retos nuevos como el fenómeno de la inmigración o las consecuencias del proceso mundial de globalización.

Por el cambio

La victoria socialista era previsible pero pocos podían esperar una mayoría tan abrumadora. Más de diez millones de votos, el 48 por ciento de los españoles que fueron a las urnas, y 202 diputados. Un triunfo arrollador. Por detrás quedaba, a larga distancia, AP con 106 diputados, recogiendo una parte de los restos del naufragio de UCD. Por la izquierda el PCE se había quedado reducido apenas a 4 escaños, un resultado catastrófico que provocó la dimisión de su viejo dirigente, Santiago Carrillo. Sólo los nacionalistas mantenían sus posiciones, CiU con 12 diputados y el PNV con 8. La ultraderecha había desaparecido del mapa político.

Felipe González tenía cuarenta años. Afiliado al PSOE del interior en 1966, formó parte de su ejecutiva en 1970 y cuatro años después, en el famoso Congreso de Suresnes, alcanzó el puesto de secretario general. Contaba con un liderazgo indiscutido, un partido disciplinado y un programa socialdemócrata moderado. Las bases de una hegemonía duradera. En las elecciones generales de junio de 1986, el PSOE consiguió revalidar su mayoría absoluta sin problemas, con un 44 por ciento de los votos y 184 diputados en el Congreso. Tres años más tarde, en octubre de 1989, volvió a gobernar en solitario con 175 diputados y un respaldo del 39 por ciento de los votantes. Todavía en junio de 1993, cuando casi todas las previsiones daban por segura la derrota del Gobierno, el carisma personal de Felipe González logró mantener un 38 por ciento de los votos y 159 diputados. El PSOE gobernó en minoría con el apoyo de los nacionalistas catalanes. En total trece años y medio al frente de la política española, casi el doble de tiempo que el conjunto de todos los Gobiernos de la Transición, amenazados por la crisis económica, la inestabilidad política y el miedo a la involución.

El peligro de un golpe militar había llegado hasta la víspera de las elecciones generales de octubre de 1982. En diciembre González ordenó a Serra, el nuevo ministro de Defensa, que prohibiera al Consejo Supremo de Justicia Militar la deliberación sobre una posible puesta en libertad de los condenados por el 23-F. La jurisdicción civil acabaría doblando sus penas de cárcel. El Gobierno socialista quería dejar muy claro que no iba a consentir que nadie cuestionara la supremacía civil. Un paso decisivo fue la reforma de la Ley Orgánica de la Defensa Nacional, aprobada en enero de 1984. Después llegaron varias renovaciones de la cúpula del Ejército, la reforma de los programas de enseñanza, la restricción de la jurisdicción militar al ámbito castrense y un amplio plan de modernización que disminuyó progresivamente el número de los cuadros de mando.

La reducción de efectivos fue uno de los objetivos de la reforma del servicio militar promulgada en 1984, que fijó en doce meses la duración de la *mili* y reguló la objeción de conciencia y la prestación social sustitutoria. El número de objetores se multiplicó a partir de 1985 y también las protestas de los grupos antimilitaristas que defendían a los jóvenes procesados por insumisión. Una nueva ley, aprobada en 1991, volvió a reducir el tiempo de permanencia en filas de los reclutas, dejándolo en nueve meses. Pero los cambios legislativos iban por detrás de la sociedad civil. Seguramente éste fue uno de los errores más claros de los Gobiernos socialistas. La incorporación de las mujeres a las Fuerzas Armadas, a partir de 1988, y el inicio de las misiones internacionales de paz y ayuda humanitaria contribuyeron, sin duda, a mejorar la imagen del Ejército en la sociedad española. Pero cuando los socialistas abandonaron el poder, en 1996, aún quedaban dos problemas pendientes: la creación definitiva de un modelo de Fuerzas Armadas profesionales, asumida por el Partido Popular en su primera legislatura, y la pervivencia del carácter militar de la Guardia Civil, una cuestión que todavía no ha sido abordada. De todas formas, al terminar el siglo XX podía decirse que el problema militar había quedado resuelto de manera satisfactoria.

Un Ejército moderno, operativo, con proyección exterior y una decidida vinculación con el sistema defensivo occidental. La postura tradicional del PSOE era contraria al mantenimiento de los bloques militares, una convicción expresada en el programa electoral de 1982 con la promesa de realizar un referéndum sobre la permanencia de España en la OTAN. González esperó al final de la primera legislatura para convocar la consulta popular, después del ingreso en la Comunidad Económica Europea, y planteó una pregunta indirecta y confusa que parecía casi una moción de confianza. La incertidumbre se mantuvo hasta el mismo día del referéndum, el 12 de marzo de 1986. Con una participación muy baja, que no llegó al 60 por ciento del censo, el Gobierno obtuvo el respaldo del 52 por ciento de los votantes. La apuesta arriesgada de Felipe González fortaleció su poder personal y dejó el camino libre para renovar la mayoría absoluta.

En 1982 la inflación en España era del 14 por ciento, la tasa de desempleo superaba el 15 por ciento, el déficit público se situaba por encima del 5 por ciento y la economía nacional a duras penas lograba sobrepasar el 1 por ciento de crecimiento anual. Desde el Ministerio de Economía y Hacienda, Miguel Boyer llevó adelante un amplio plan de ajuste y saneamiento con el objetivo de lograr la estabilidad macroeconómica. Una política ortodoxa con la excepción de la polémica expropiación de Rumasa, el *holding* financiero y empresarial de Ruiz Mateos. Medidas como la devaluación de la peseta, una política monetaria restrictiva y la contención de los salarios lograron reducir la inflación y corregir el déficit exterior. El Gobierno emprendió también un programa de saneamiento financiero, incrementó los ingresos fiscales y la lucha contra el fraude, reformó el Plan Energético Nacional, traspasó parte del sector público a la iniciativa privada, reestructuró el INI, promovió medidas para flexibilizar el mercado de trabajo y acometió una decidida política de reconversión industrial. La reconversión se centró en la siderurgia, la construcción naval y los sectores del textil y el calzado, con centenares de empresas afectadas y una reducción de casi cien mil empleos.

Las conversaciones para el ingreso en la CEE fueron largas y complejas, encabezadas por el ministro de Asuntos Exteriores, Fernando Morán. Superada la oposición de Francia, las arduas negociaciones del primer trimestre de 1985 culminaron el 12 de junio de ese año con la firma del Acta de Adhesión de España y Portugal. Los años siguientes fueron de un crecimiento económico rápido y sostenido, con un incremento anual del PIB superior al 4 por ciento, muy superior a la media europea, debido en parte a la continua llegada de capitales extranjeros y también al impulso decidido del gasto público.

La inversión del Estado en infraestructuras fue extraordinaria. A partir de 1986 el Plan General de Carreteras promovió el acondicionamiento de miles de kilómetros de carreteras y la construcción de una red nacional de autovías y autopistas, se modernizaron los aeropuertos y la red de ferrocarriles, con la puesta en marcha de la primera línea de alta velocidad (AVE) entre Madrid y Sevilla, y hubo un esfuerzo notable en obras hidráulicas, remodelación de puertos, protección de costas, medio ambiente, vivienda y urbanismo. Los extranjeros que visitaron España en 1992 pudieron admirar las obras realizadas con motivo de la celebración de los Juegos Olímpicos de Barcelona y la Exposición Universal de Sevilla.

El incremento del gasto público destinado a fines sociales fue también espectacular. Mejoró la cobertura del seguro de desempleo, se revalorizaron las pensiones y la Seguridad Social multiplicó las partidas destinadas a gastos sanitarios. Desde el Ministerio de Sanidad, dirigido por Ernest Lluch, se promovió la Ley General de Sanidad, aprobada en 1986, y la puesta en marcha de un Sistema Nacional de Salud que supuso la extensión de la asistencia médica y hospitalaria a toda la población. En Educación, el ministro José María Maravall impulsó en 1983 la Ley de Reforma Universitaria (LRU) y en 1985 la Ley Orgánica del Derecho a la Educación (LODE). La reforma se completó en 1990 con la Ley Orgánica de Ordenación General del Sistema Educativo (LOGSE), que elevó la escolarización obligatoria hasta los dieciséis años y obligó a aumentar el gasto educativo, un 4,5 por ciento del PIB en 1992.

En materia educativa los legisladores se enfrentaron a un asunto delicado porque la Iglesia católica era propietaria de una parte muy importante de los centros de educación básica y media. El primer conflicto serio con la Conferencia Episcopal había llegado en 1983 con el debate sobre la Ley del Aborto, que despenalizó la interrupción del embarazo en tres supuestos. En la cuestión de la educación, la actitud del Gobierno fue claramente condescendiente con los intereses de la Iglesia. La LODE reconocía la existencia de una red pública de centros y otra privada, financiada también con fondos del Estado a través de una serie de subvenciones directas y conciertos educativos. En general, podría decirse que el trato que la democracia ha dispensado a la Iglesia católica ha sido exquisito. Los socialistas no se atrevieron a modificar los acuerdos económicos firmados con el Vaticano en enero de 1979 que suponían el mantenimiento de privilegios tradicionales en instituciones públicas, numerosas exenciones fiscales y el sostenimiento del culto y el clero a cargo de los presupuestos del Estado.

La inversión pública en educación, en sanidad y en otros servicios sociales básicos, como la protección frente al desempleo, las ayudas familiares o las pensiones, acercaron a los ciudadanos españoles al modelo del Estado del Bienestar construido en Europa Occidental en la segunda mitad del siglo XX. Además, al gasto social del Estado se unía la inversión pública llevada a cabo por los ayuntamientos y las Comunidades Autónomas, cada vez con mayores competencias y servicios.

El mapa autonómico español se completó en los primeros meses de 1983 con la promulgación de los cuatro estatutos de autonomía pendientes de la legislatura anterior. Comenzó entonces la descentralización efectiva del Estado y el traspaso progresivo de competencias, un proceso conflictivo plagado de recursos ante el Tribunal Constitucional y de tensas negociaciones entre las autoridades nacionales y las regionales por el retraso en las transferencias o por una insuficiente dotación presupuestaria.

En Cataluña el proceso de negociación de las competencias favoreció claramente el liderazgo de Jordi Pujol, capaz de identificar a su formación política, CiU, con la defensa de los derechos de los catalanes frente a las reticencias del Gobierno central. El caso del País Vasco era diferente. El objetivo central del PNV era la construcción de una comunidad nacional completa desde el punto de vista político, administrativo y cultural. Pero las disputas internas en el seno del nacionalismo hegemónico produjeron el abandono de Garaikoetxea de la presidencia del Gobierno Vasco, en 1984, y la escisión del sector más crítico del partido, que pasó a formar parte de Eusko Alkartasuna (EA). A partir de 1986, la fragmentación del sistema de partidos obligó al nuevo *Lehendakari*, José Antonio Ardanza, a encabezar Gobiernos de coalición entre el PNV y el Partido Socialista de Euskadi (PSE). Fruto de este nuevo clima político de mayor colaboración fue la firma en 1988 del Pacto de Ajuria-Enea. Los partidos políticos, a excepción de HB, se mostraban decididos a marcar una raya que separara a los demócratas de los terroristas.

Porque ETA siguió matando. Más de 300 asesinatos en los trece años largos de Gobierno socialista, con matanzas indiscriminadas como la bomba de los almacenes Hipercor de Barcelona y la de la casa-cuartel de la Guardia Civil en Zaragoza, ambas en 1987. La política antiterrorista socialista combinó la actuación policial y los primeros acuerdos con Francia sobre deportaciones y extradiciones con las medidas de reinserción. Y también los intentos de negociación con la banda terrorista, como las llamadas Conversaciones de Argel, mantenidas de manera intermitente entre finales de 1986 y los primeros meses de 1989. Por el Ministerio del Interior pasaron José Barrionuevo, José Luis Corcuera, Antoni Asunción y Juan Alberto Belloch, que no sólo no consiguieron poner fin a la violencia terrorista, sino que dejaron la sombra oscura de la *guerra sucia* contra ETA como una de las notas más negras de toda la etapa socialista.

Entre 1983 y 1987 los llamados Grupos Antiterroristas de Liberación (GAL), compuestos por pistoleros de extrema derecha y mercenarios extranjeros, cometieron más de 40 atentados y asesinaron a 28 personas. Desde los primeros momentos parecía evidente la vinculación del GAL con algunos mandos policiales y autoridades gubernativas en el País Vasco, el empleo de fondos públicos reservados para financiar las actividades terroristas y la nula voluntad del Gobierno para investigar lo sucedido.

Las primeras señales de erosión de los Gobiernos del PSOE comenzaron a aparecer al término de la primera legislatura con la campaña contra la OTAN y las bases norteamericanas y con el inicio del distanciamiento de los sindicatos que protestaban por la dureza de la reconversión industrial. En 1988, en medio del clima general de recuperación económica, las dos grandes centrales sindicales, UGT y CC.OO., acordaron emprender una serie de movilizaciones para exigir al Gobierno un giro social de su política económica. La presentación de un plan de empleo juvenil fue la causa esgrimida por los sindicatos para convocar un paro nacional de 24 horas previsto para el 14 de diciembre de 1988. El éxito de la huelga general fue incontestable, una seria llamada de atención al ejecutivo de Felipe González más por su forma de gobernar, acusado de prepotencia y falta de diálogo, que por el calado y contenido de las reformas.

A las protestas obreras y la oposición de una parte de la izquierda se unió muy pronto la descalificación de la derecha y de algunos medios de comunicación por los casos de corrupción que se iban destapando. Los continuos escándalos revelaban la cara más oscura del ciclo expansivo económico de los años anteriores. Ni el Gobierno ni la dirección del PSOE pusieron freno a la extensión de las prácticas corruptas, a la generalización de la especulación y el fraude, a la multiplicación de pingües negocios privados a costa del gasto público.

Y los buenos tiempos de bonanza económica pasaron. En medio de la tormenta política desatada por la oleada de casos de corrupción, los escándalos de los juicios del GAL, las disputas internas de los socialistas y el clima general de malestar y desconfianza existente en la opinión pública, llegaron a España los primeros efectos de la crisis económica internacional de 1992. Una recesión breve, de apenas dos años, pero que afectó con dureza a la economía española, obligada a realizar en ese tiempo hasta cuatro devaluaciones de la peseta. La caída de la actividad productiva tocó fondo en 1993, con un crecimiento negativo del PIB, un déficit público cercano al 7 por ciento y una tasa de paro que llegó hasta el 24 por ciento de la población activa. El mercado de trabajo era incapaz de absorber a la generación del *baby-boom* de los sesenta que llegaba a la mayoría de edad y a la creciente incorporación de la mujer al mundo laboral.

A partir de 1995 la situación económica daba signos de notable mejoría, pero los indicadores positivos poco pudieron hacer para reducir la crispación del debate político, un auténtico vía crucis para el último Gobierno de González, salpicado cada día por los escándalos que salían de los juzgados y sometido a una campaña de acoso y derribo en los medios de comunicación y en el Congreso.

Hacia un nuevo siglo

La llegada el poder del Partido Popular después de las elecciones de 1996 terminaba, de alguna manera, el proceso de consolidación de la democracia. Hacía falta un partido conservador que fuera capaz de soltar el lastre pesado que le unía con el franquismo y obtener el respaldo popular suficiente como para llegar a formar Gobierno. Ni Manuel Fraga ni la vieja generación de Alianza Popular, con biografías muy vinculadas a la dictadura, podían representar una alternativa que fuera apoyada por la mayoría de la ciudadanía. José María Aznar, presidente de la Junta de Castilla y León desde 1987, no pertenecía a la generación que había protagonizado la transición. Supo renovar a los cuadros dirigentes, crear una estructura férreamente disciplinada y convertir al PP en un partido electoral, con nuevos símbolos y técnicas de comunicación y una organización eficaz.

El primer Gobierno de Aznar, entre 1996 y 2000, estuvo marcado por el pacto de legislatura alcanzado con CiU y el PNV. La debilidad parlamentaria gubernamental obligó a los conservadores a mostrarse flexibles con algunas reivindicaciones nacionalistas, a contener su discurso ideológico y a moderar las políticas sociales y económicas con una disposición abierta al diálogo social. Ello fue posible gracias, en buena medida, a los buenos tiempos de la economía internacional, un ciclo de crecimiento sostenido que había comenzado en 1995 y que se iba a mantener durante más de una década.

La bonanza económica, la imagen de competencia, austeridad de gasto y gestión eficaz, la concertación social, los éxitos de la lucha policial contra el terrorismo y la ofensiva judicial contra el entorno de ETA y la crisis interna del PSOE, con la abstención de una parte del electorado de izquierdas, explican, en buena medida, la mayoría absoluta conseguida por el PP en las elecciones generales de 2000, con un 44 por ciento de los votos y 183 escaños. A partir de ese momento el nuevo Gobierno se olvidó del talante dialogante y de la moderación centrista.

No fue un cambio repentino. Ya en la primera legislatura había dejado muestras de esa concepción del poder en aspectos como el control de los medios de comunicación públicos, la imposición de la política educativa, las interferencias en el poder judicial, la estrategia de privatización de empresas públicas, situando al frente de ellas a amigos políticos, las medidas destinadas a reforzar los privilegios de la Iglesia católica o la retirada del proyecto de ley sobre inmigración. Fue a partir de 2001, sin embargo, cuando el verdadero carácter del proyecto neoconservador se hizo más evidente. La oposición suscitada por la reforma universitaria, la ruptura del diálogo social con los sindicatos, los conflictos regionales por el Plan Hidrológico Nacional, el rechazo de cualquier responsabilidad política ante la catástrofe del hundimiento del petrolero *Prestige*, y el accidente del *Yak-42* en Turquía, que costó la vida a más de 60 militares, o el enfrentamiento con Marruecos, con la arriesgada ocupación del islote de Perejil, fueron algunos de los aspectos más controvertidos de la segunda legislatura y que más erosionaron la imagen del Gobierno.

Pero, sin lugar a dudas, para la opinión pública el mayor error de Aznar fue el rumbo tomado por la política exterior, que privilegió y estrechó las relaciones con Estados Unidos, sobre todo a partir del atentado contra las Torres Gemelas de Nueva York, en septiembre de 2001. El apoyo entusiasta del Gobierno a la invasión norteamericana de Irak —con la famosa foto de las Azores— hizo que las protestas contra la guerra se convirtieran en manifestaciones multitudinarias como las que en febrero de 2003 ocuparon las calles de todas las ciudades de España. Sin embargo, a pesar de la pérdida notable de respaldo popular, las expectativas del PP ante las elecciones generales del 14 de marzo de 2004 no contemplaban otro escenario que no fuera el de la victoria.

Tres días antes, se produjo el atentado islamista en los trenes de cercanías de Madrid, el más letal de la historia de España, que causó la muerte de 192 personas y más de mil quinientos heridos. La reacción del Gobierno, percibida por muchos como una clara manipulación de la información, movilizó a cientos de miles de electores. El PSOE obtuvo el 42 por ciento de los votos y 164 diputados frente a los 148 que conservó el PP y José Luis Rodríguez Zapatero se dispuso, con el apoyo de Izquierda Unida y de Esquerra Republicana, a convertirse en el quinto presidente de la democracia española. Un nuevo Gobierno socialista y un nuevo ciclo político que ya no pertenece a la historia de España del siglo XX.

Al doblar el siglo, la mayoría de los problemas históricos de España parecían haber quedado en el pasado. Quizá, el más importante de los que seguían ocupando el centro de la agenda política era el de la organización territorial del Estado, con la grave secuela de la pervivencia del terrorismo de ETA. Tuvieron una gran repercusión en la opinión pública los asesinatos del profesor Francisco Tomás y Valiente, en febrero de 1996, y la ejecución anunciada de Miguel Ángel Blanco, el concejal del PP de Ermua. Las movilizaciones populares de repulsa al asesinato del concejal, en julio de 1997, llevaron a la calle a millones de personas en toda España. Al creciente rechazo social del terrorismo se unieron los éxitos policiales y las acciones judiciales contra el entramado político y financiero cercano a ETA.

La tregua de la organización terrorista propició en mayo de 1999 un encuentro en Suiza con los representantes del Gobierno español y medidas de «flexibilización» de la política penitenciaria. Pero a finales de año se impuso la línea dura y el retorno a la «lucha armada». A partir de enero de 2000, ETA volvió a asesinar a policías, políticos, periodistas y profesores como Ernest Lluch, incapaz de amenazar la estabilidad de la democracia pero sí de intimidar y extorsionar a muchos ciudadanos. El PP y PSOE firmaron el Pacto por las Libertades y contra el Terrorismo y acordaron una estrategia común de lucha contra ETA en todos los frentes, desde la persecución de los actos de violencia urbana, la denominada *kale borroka*, hasta la ilegalización de Batasuna y de todas las organizaciones que no condenaran expresamente el terrorismo.

Mientras tanto, el PNV seguía con su apuesta soberanista y presentaba la Propuesta de Estatuto Político de la Comunidad de Euskadi, el llamado *Plan Ibarretxe*, un proyecto para constituir un Estado libre asociado que debía ser ratificado mediante un referéndum. El plan del *Lehendakari* fue aprobado por el Parlamento Vasco y en febrero de 2005 rechazado en el Congreso por anticonstitucional. El Gobierno socialista de Zapatero inició un nuevo proceso de negociación con ETA, que en marzo de 2006 declaró un «alto el fuego permanente» mantenido sólo hasta el 30 de diciembre, cuando la explosión de una bomba en el aeropuerto de Barajas mató a dos jóvenes ecuatorianos.

Sin la amenaza de las armas, la situación de Cataluña al terminar el siglo era bien diferente. En 1998 el Parlamento de Cataluña, con apoyo de CiU y de ERC, aprobó una resolución favorable al derecho de autodeterminación del pueblo catalán. El cambio político producido en 2003, con la llegada a la presidencia de la Generalitat del socialista Pasqual Maragall, puso fin a dos décadas largas de gobierno nacionalista de Jordi Pujol pero no al debate sobre la superación del marco del estatuto de autonomía de 1980. En el horizonte abierto de los primeros años del siglo XXI se plantea el reto de la definición de una democracia plurinacional cohesionada, la articulación de las relaciones interterritoriales y la construcción de un consenso en torno a los principios de igualdad y solidaridad y el reconocimiento de la diversidad y la diferencia. Todo ello en un contexto nuevo de europeización y globalización que obliga a repensar el concepto de soberanía por encima y por debajo de los límites del Estado.

Un escenario nuevo para un país distinto, que ha experimentado un cambio extraordinario en el quicio entre dos siglos. En 1996 había apenas 500.000 extranjeros residiendo en España. Una década más tarde, después de tres leyes distintas de extranjería y una sucesión de reglamentos y regularizaciones, pasaban de 4 millones y se acercaban al 10 por ciento de la población. Gracias al saldo migratorio los 40 millones de habitantes del censo de 2001 son 46 millones en el de 2008, un ritmo de crecimiento inédito en la historia de España. La masiva llegada de inmigrantes ha cambiado las bases demográficas de la sociedad española. Los trabajadores procedentes de África, de Latinoamérica o de la Europa del Este se emplean sobre todo en la construcción, la hostelería, el servicio doméstico y la agricultura estacional, en general ocupando los puestos menos cualificados que los españoles no cubren. España ha dejado de ser definitivamente un país agrario. En 1975 el campo proporcionaba todavía uno de cada cinco empleos. Al terminar el siglo sólo uno de cada veinte. La industria, sin la construcción, no llega al 20 por ciento de la población activa mientras que el sector terciario emplea al 65 por ciento.

El proceso de desagrarización y el desarrollo de la economía de los servicios han llevado aparejados el crecimiento de las nuevas clases medias y el aumento de la cualificación de la fuerza de trabajo. Ello se debe, en buena medida, a la expansión del sistema educativo. El analfabetismo y el trabajo infantil prácticamente han desaparecido. El gasto público en educación, que en los años sesenta apenas era de un 1 por ciento del PIB, ronda el 5 por ciento al terminar el siglo. En ese tiempo, el número de universidades se ha duplicado y el de titulados universitarios se ha multiplicado por cinco, casi 5 millones en 2004. En los estudios superiores hay más mujeres matriculadas que hombres, uno de los factores tradicionales de discriminación de género. Las mujeres son las protagonistas indiscutibles del rápido proceso de cambio social. Se han incorporado al mundo laboral, han reducido su fecundidad y se comportan de manera diferente en el ámbito de la vida cotidiana y familiar, con formas de convivencia informales que se desmarcan progresivamente del modelo de familia patriarcal. Las generaciones más jóvenes son tolerantes con las relaciones homosexuales, el divorcio y la maternidad fuera del matrimonio, cada vez menos influidas por las normas religiosas y tradicionales. La sociedad se ha secularizado, uno de los signos más comunes del avance de la modernidad.

Los problemas que más preocupan a los españoles son el paro, la temporalidad del empleo y el acceso a la vivienda. También a los inmigrantes, que viven en peores condiciones y con salarios más bajos, con dificultades de convivencia cultural, de adaptación social y de definición legal. Unos y otros valoran, sobre todo, la seguridad del Estado del Bienestar, el sistema de pensiones, la educación y la sanidad, los pilares con los que las sociedades democráticas protegen a los ciudadanos de los riesgos y desequilibrios de la economía de mercado, la mejor herencia de las conquistas sociales del siglo xx. Hay también retos globales que formarán parte de la historia del siglo xxi, como el deterioro alarmante del medio ambiente o la deriva de un mundo desigual, injusto e insolidario con los más desfavorecidos, apenas corregida por las iniciativas civiles y gubernamentales de cooperación al desarrollo.

BALANCE DE UN SIGLO

El siglo xx en España fue extraordinariamente variado. Muchos españoles nacieron con una Monarquía, la de Alfonso XIII, vivieron dos dictaduras, una República y una Guerra Civil, y murieron con el nieto de Alfonso XIII, Juan Carlos I, como Jefe de Estado. Pero las vivencias y experiencias serían muy diferentes si dejáramos hablar a alguien que estuvo siempre con el orden tradicional, que ganó la guerra y vivió tranquilo y feliz durante la dictadura de su Caudillo; o por el contrario, atendiéramos a la versión de otro español que soñó con la República, la vio, luchó con ella hasta perder y nunca tuvo paz con Franco.

No es tarea del historiador, sin embargo, elegir el fragmento o la parte de la película que a cada uno le va bien. El siglo xx acabó mejor que empezó y España era en el año 2000 un país mucho más próspero, democrático y menos violento que en las décadas centrales de la centuria, aunque cualquier balance complaciente debería también prestar atención a las penurias y terrores que quedaron por el camino. Para el historiador que hace balance, el siglo xx es un bloque entero y tampoco puede separarse la historia de España de la del resto de los países europeos.

Vista desde esa perspectiva comparada, la peculiaridad principal de la historia de España en el siglo xx fue la larga duración de la dictadura de Franco, salida de la Guerra Civil. No fue un paréntesis en la historia de España de ese siglo, sino el elemento central que dominó el escenario de forma absoluta durante casi cuatro décadas. La línea divisoria del siglo en Europa fue, como sugiere Mark Mazower, la década de los cuarenta, cuando «la utopía nazi llegó a su cenit y luego se desplomó velozmente». En España, todo ocurrió un poco antes, en los años treinta, con la democracia y la revolución derrotadas en la Guerra Civil por un autoritarismo que no cayó en 1945 y sobrevivió tres décadas a ese fascismo que tanto le había ayudado a establecerse.

La Guerra Fría, la pugna entre el comunismo y la democracia capitalistas, una experiencia también duradera en otras partes del mundo, no pasó por España, que estaba en ese momento anclada en algo que ya había desaparecido de todos los países de Europa, excepto en Portugal. En perspectiva europea, la década de los ochenta fue crucial, con el derrumbe del imperio soviético en 1989 y el fin de las rivalidades ideológicas que habían crecido en el período de entreguerras. En España, el fin de esas rivalidades había ocurrido una década antes, en los años que fueron desde la muerte de Franco a la llegada de la democracia. No parece una casualidad que la mayoría de los estudios de los hispanistas angloamericanos, la tradición más sólida de investigación histórica realizada desde el exterior, se centre en ese período entre 1931 y 1982, y sobre todo entre 1931 y 1939, los años con más alcance y eco internacional de la historia de España. Pero esos años no explican toda la fotografía.

La democracia que surgió a finales de los años setenta era sólo uno de los resultados posibles y hoy sabemos que fue positivo, que la consolidación de la democracia cambió el lugar de España en Europa, con su total integración en ella, uno de los sueños de las elites intelectuales españolas desde finales del siglo XIX. Se dejó de describir a un bando como representante de la verdadera España y la democracia trajo libertades amplias y la condición de ciudadanos europeos. También en España, como había pasado en una parte de Europa y Norteamérica, la democracia se asoció con el triunfo del capitalismo, que ya no estaba acosado por fuerzas revolucionarias. Una de ellas, el anarquismo, que tanta presencia había tenido en las cuatro primeras décadas del siglo, y que tan excepcional y extraordinario les había resultado a ilustres observadores extranjeros, como Gerald Brenan, Franz Borkenau o George Orwell, incluso desapareció con esa democracia, que pudo evitar también cualquier tentación republicana. Y es que la nueva democracia española, que empezó a nacer con las elecciones de junio de 1977, rompió cualquier vínculo con la Segunda República, porque la gestaron desde arriba antiguos franquistas y se aceptó desde abajo limpia de aquel pasado estereotipado en la Guerra Civil y en las divisiones fratricidas.

Si la historia se contempla desde finales del siglo xx, el salto que dio España desde 1900 fue espectacular, sobre todo si se comienza por los indicadores económicos. Como argumentan José Luis García Delgado y Juan Carlos Jiménez, que recogen algunas de las investigaciones más sólidas de las últimas tres décadas, el primer tercio del siglo significó «una moderada pero tenaz trayectoria de ganancia de niveles de prosperidad»; el período de 1936 a 1950, «la brutal discontinuidad, el desplome, el corte trágico», mientras que el crecimiento de la renta por habitante en la segunda mitad del siglo alcanzó un promedio de 3,8 por ciento, «que casi multiplicó por cuatro el de cien años atrás y el del primer tercio del novecientos». Haciendo balance de un siglo, concluyen los mismos autores, España recorrió el mismo camino que los países europeos más avanzados y dejó atrás el claro saldo desfavorable para su economía que había identificado al proceso histórico decimonónico, el período en el que esos países consolidaron las revoluciones liberales y la sociedad industrial.

España transitó, durante el siglo xx, desde una sociedad agraria y rural a otra industrial y urbana. El casi 70 por ciento de la población activa agraria en 1900 había pasado a menos del 7 por ciento al terminar el siglo, aunque la caída más brusca se produjo desde mitad de la década de los cincuenta hasta principios de los setenta. La crisis definitiva de la agricultura tradicional, esa que producía poco con una superabundancia de mano de obra, cambió el alma de la sociedad española y relegó al sector primario a una exigua participación, alrededor del 3 por ciento a finales de siglo, en la estructura productiva, dominada ya por la actividad industrial, la construcción y, sobre todo, los servicios.

Las elevadas tasas de mortalidad, la altísima mortalidad infantil, el hambre y las epidemias periódicas ilustran a la perfección las difíciles condiciones de vida que debía soportar la mayoría de los casi diecinueve millones de habitantes de 1900. La población creció hasta los cuarenta millones durante el siglo, pese a que la Guerra Civil y el exilio se llevó a 750.000 personas, hombres en su mayoría, y más de dos millones y medio de españoles emigraron a América y a Europa entre 1950 y 1974. Todo vuelve a ser positivo, sin embargo, cuando el balance cubre todo el siglo. La mortalidad infantil, la alimentación deficiente, la falta de medidas higiénicas y sanitarias, la ausencia de agua corriente en las viviendas, eran ya historia, recuerdos de los mayores, en el año 2000.

Si algo caracterizó a las democracias europeas que se consolidaron tras la Segunda Guerra Mundial fue el compromiso de extender a través del Estado, del Estado del Bienestar, los servicios sociales a la mayoría de los ciudadanos. Superar el atraso español en equipamientos colectivos, infraestructuras y sistemas asistenciales fue uno de los grandes desafíos de la democracia durante el último cuarto de siglo. El gasto público del Estado representaba menos del 10 por ciento de la renta nacional en 1900, apenas había crecido unos puntos en 1960, no llegaba al 25 por ciento cuando murió Franco y, sin embargo, rondaba el 50 por ciento en 2000, con porcentajes similares a los de los países europeos más avanzados. La distribución más equitativa de la renta, el drástico descenso del analfabetismo, la escolarización generalizada hasta los dieciséis años y la creciente cualificación profesional, con más de millón y medio de estudiantes universitarios, son indicios incontestables de que la modernización había llegado a buen puerto.

Pero no todo fue historia de triunfos en ese siglo de conflictos, paradojas y contrastes. El que ha sido llamado siglo de las masas, de la ciudadanía, de los derechos civiles y sociales, no tuvo elecciones libres, con sufragio universal, durante más de cuatro décadas. El principal responsable de que eso fuera así, Francisco Franco, no fue un loco criminal que, ayudado por sus compañeros de armas, se empeñó en llevar un camino diferente al de las democracias occidentales. Hoy, la democracia y la civilización europea nos pueden parecer superiores, pero durante años y años muchos españoles defendieron y aceptaron estar organizados, y obligar a quienes no lo quisieran estar, conforme a estrictas reglas autoritarias.

La guerra fue una experiencia crucial en las vidas de millones de europeos durante la primera mitad del siglo XX. España no había participado en la Primera Guerra Mundial y no sufrió, por lo tanto, la fuerte conmoción que esa guerra provocó, con la caída de los imperios y de sus servidores, la desmovilización de millones de excombatientes y el endeudamiento para pagar las enormes sumas de dinero dedicadas al esfuerzo bélico. Pero compartía, no obstante, esa división y tensión, que acompañó al proceso de modernización, entre quienes, amantes del orden y la autoridad, temían al bolchevismo y a las diferentes manifestaciones del socialismo, y los que soñaban con ese mundo nuevo e igualitario que surgiría de la lucha a muerte entre las clases sociales.

Dos guerras mundiales y una «crisis de veinte años» en medio marcaron la historia de Europa del siglo XX. En España bastaron tres años para que la sociedad padeciera una oleada de violencia y de desprecio por la vida sin precedentes. Por mucho que se hable de la violencia que precedió a la Guerra Civil para tratar de justificar su estallido, está claro que en la historia del siglo xx español hubo un antes y un después del golpe de Estado de julio de 1936. Además, tras el final de la Guerra Civil en 1939, durante al menos dos décadas no hubo ninguna reconstrucción positiva, tal y como ocurrió en los países de Europa Occidental después de 1945.

El discurso del orden, de la patria y de la religión se había impuesto al de la democracia, la República y la revolución. En la larga y sangrienta dictadura de Franco reside, en definitiva, la gran excepcionalidad de la historia de España del siglo xx si se compara con la de los otros países capitalistas. Muertos Hitler y Mussolini, Franco siguió. El lado más oscuro de esa guerra civil europea, que acabó en 1945, tuvo todavía larga vida en España.

La democracia española trató de borrar los recuerdos más incómodos de la dictadura de Franco y cuando en los últimos años han reaparecido y el Estado ha puesto en marcha, aunque con mucha timidez, políticas públicas de memoria, recordar el pasado para aprender, y no para castigar o condenar, una parte importante de la sociedad ha reaccionado en contra. El pasado se ha hecho presente, convertido ahora, entrado ya el siglo XXI, en el momento de cerrar estas páginas, en un campo de batalla político y cultural, donde se da la voz con más fuerza que nunca, en libros, documentales y homenajes, a los supervivientes y a las víctimas de aquellas experiencias traumáticas.

Estamos en la «era de la memoria», tan incómoda para muchos. Es una construcción social del recuerdo, que evoca con otros instrumentos, y a veces deforma, lo que los historiadores descubrimos. No sabemos qué quedará de todo ello para el conocimiento histórico de las generaciones futuras. Los historiadores tenemos la obligación de seguir arrojando luz sobre la vida de los hombres y mujeres en el pasado. Y lo hacemos desde la tranquilidad de un presente en el que ya no nos acompañan algunos de los conflictos e incertidumbres que acosaban a nuestros predecesores.

Pese a la existencia de ETA, un legado de la dictadura que la democracia no ha podido destruir, la violencia ya no es en España un vehículo de la acción política. Ése es el gran triunfo que nos queda después de tanta batalla. Adiós al militarismo, a la violencia. Adiós a las armas. ¿Será verdad para lo que resta del siglo XXI?

COMENTARIO BIBLIOGRÁFICO

Obras generales

Los lectores interesados en conocer con más detalle la historia de España en el siglo XX pueden acceder a manuales más extensos o a colecciones en varios volúmenes que abordan por separado los aspectos políticos, económicos, sociales y culturales del período. Por su cercanía en el tiempo hay que destacar la obra colectiva de Santos Juliá, José Luis García Delgado, Juan Carlos Jiménez y Juan Pablo Fusi, *La historia de España del siglo* XX, Madrid, Marcial Pons, 2007; y los textos de Javier Tusell, *Historia de España. La Edad Contemporánea*, Madrid, Taurus, 2002; José María Jover Zamora, Guadalupe Gómez Ferrer Morant y Juan Pablo Fusi Aizpúrua, *España: sociedad, política y civilización*, Madrid, Debate, 2001; Ángel Bahamonde (coord.), *Historia de España siglo* XX *(1875-1939)*, y Jesús A. Martínez (coord.), *Historia de España siglo* XX *(1939-1996)*, Madrid, Cátedra, 2000; Juan Pablo Fusi y Jordi Palafox, *España: 1808-1996. El desafío de la modernidad*, Madrid, Espasa-Calpe, 1997; y, por supuesto, los volúmenes correspondientes al siglo XX de la monumental *Historia de España de Menéndez Pidal* publicados por la editorial Espasa Calpe.

La Restauración y la Dictadura de Primo de Rivera

Una primera aproximación a la complejidad del período de la Restauración se puede hacer a través de la obra de Manuel Suárez Cortina, autor de *La España liberal (1868-1917). Política y sociedad*, Madrid, Síntesis, 2006, y editor de *La Restauración, entre el liberalismo y la democracia*, Madrid, Alianza, 1997. También a partir del trabajo conjunto de Ramón Villares y Javier Moreno Luzón en *Restauración y Dictadura*, volumen 7 de la *Historia de España* dirigida por Josep Fontana y Ramón Villares, Barcelona, Crítica y Marcial Pons, 2009. Sobre la crisis de fin de siglo hay que subrayar la obra coordinada por Juan Pan-Montojo, *Más se perdió en Cuba. España, 1898 y la crisis de fin de siglo*, Madrid, Alianza, 1998, y el libro de Sebastian Balfour, *El fin del imperio español (1898-1923)*, Barcelona, Crítica, 1997. Una buena introducción al reinado de Alfonso XIII y a la figura del monarca, en el libro coordinado por Javier Moreno Luzón (ed.), *Alfonso XIII. Un político en el trono*, Madrid, Marcial Pons, 2003. Un análisis actualizado del último período de la Restauración en M.ª Ángeles Barrio, *La modernización de España (1917-1939): política y sociedad*, Madrid, Síntesis, 2004, y en los trabajos coordinados por Mercedes Cabrera, *Con luz y taquígrafos. El Parlamento en la Restauración (1913-1923)*, Madrid, Taurus, 1998. Un lector que busque un solo libro para la época de la Dictadura de Primo de Rivera lo encontrará en el espléndido trabajo de Eduardo González Calleja, *La España de Primo de Rivera. La modernización autoritaria*, Madrid, Alianza, 2005.

República y Guerra Civil

Las investigaciones sobre la República están bien reflejadas en síntesis recientes como las de Santos Juliá (coord.), *República y guerra civil*, tomo XL de la *Historia de España de Menéndez Pidal*, Madrid, Espasa Calpe, 2004 (versión reducida en Madrid, Espasa Calpe, 2008), y Julián Casanova, *República y guerra civil*, Barcelona, Crítica/Marcial Pons, 2007. También en la obra de Julio Gil Pecharromán, *Historia de la Segunda República Española (1931-1936)*, Madrid, Biblioteca

Nueva, 2002. Para el problema de la tierra sigue siendo imprescindible Edward Malefakis, *Reforma agraria y revolución campesina en la España del siglo* XX, Barcelona, Ariel, 1971. La cuestión militar está bien recogida en Michael Alpert, *La reforma militar de Azaña (1931-1939)*, Madrid, Siglo XXI, 1982, y Gabriel Cardona, *El poder militar en la España contemporánea hasta la guerra civil*, Madrid, Siglo XXI, 1983. Una introducción al papel desempeñado por la Iglesia en Frances Lannon, *Privilegio, persecución y profecía. La Iglesia Católica en España, 1875-1975*, Madrid, Alianza, 1987; William J. Callahan, *La Iglesia Católica en España, 1875-2002*, Barcelona, Crítica, 2003. Los últimos meses de la República aparecen ampliamente tratados en el trabajo de Rafael Cruz, *En el nombre del pueblo. República, rebelión y guerra en la España de 1936*, Madrid, Siglo XXI, 2006.

En la línea de los hispanistas británicos y norteamericanos, que combinan reflexión y rigor empírico con ambición narrativa, las dos síntesis más completas y actualizadas sobre la Guerra Civil son los libros de Paul Preston, *La guerra civil española*, Barcelona, Debate, 2006, y Antony Beevor, *La guerra civil española*, Barcelona, Crítica, 2005. Concisa, aunque sugerente, es la de Helen Graham, *Breve historia de la guerra civil*, Madrid, Espasa Calpe, 2006. Sólida y exhaustiva es la reciente síntesis de Gabriele Ranzato, *El eclipse de la democracia. La guerra civil española y sus orígenes, 1931-1939*, Madrid, Siglo XXI, 2006. La República en guerra en la investigación rigurosa y detallada de Helen Graham, *La República española en guerra, 1931-1936*, Barcelona, Random House-Mondadori, 2006 y en la trilogía de Ángel Viñas, *La soledad de la República, El escudo de la República y El honor de la República*, publicada por Crítica, Barcelona (2006-2008). Una síntesis documentada y actualizada sobre el contexto internacional en Enrique Moradiellos, *El reñidero de Europa. Las dimensiones internacionales de la guerra civil española*, Barcelona, Península, 2001. Una buena guía de la historia militar del conflicto en Gabriel Cardona, *Historia militar de una guerra civil*, Barcelona, Flor del Viento, 2006. El final de la República está sintetizado en Ángel Bahamonde y Javier Cervera, *Así terminó la Guerra de España*, Madrid, Marcial Pons, 1999.

La dictadura de Franco

Buenas visiones generales del largo período de la dictadura en Enrique Moradiellos, *La España de Franco (1939-1975). Política y sociedad*, Madrid, Síntesis, 2000; Giuliana di Febo y Santos Juliá, *El franquismo*, Barcelona, Paidós, 2005; Encarna Nicolás, *La libertad encadenada. España en la dictadura franquista, 1939-1975*, Madrid, Alianza, 2005; Julio Gil Pecharromán, *Con permiso de la autoridad. La España de Franco (1939-1975)*, Madrid, Temas de Hoy, 2008; y Carme Molinero y Pere Ysás, *La anatomía del franquismo. De la supervivencia a la agonía, 1945-1977*, Barcelona, Crítica, 2008. Muy recomendable la actualización de Borja de Riquer, *La dictadura de Franco*, Barcelona, Crítica/Marcial Pons, 2010. Monografías más específicas, en Jordi Gracia y Miguel Ángel Ruiz Carnicer, *La España de Franco (1939-1975); Cultura y vida cotidiana*, Madrid, Síntesis, 2001; Carlos Barciela, M.ª Inmaculada López, Joaquín Melgarejo y José A. Miranda, *La España de Franco (1939-1975). Economía*, Madrid, Síntesis, 2001; y Julián Casanova, *La Iglesia de Franco*, Barcelona, Crítica, 2005. Sobre la figura del dictador, la mejor biografía sigue siendo la de Paul Preston, *Franco*, Barcelona, Grijalbo, 1994.

La Transición y la consolidación de la democracia

El relato de los acontecimientos y el desarrollo político se pueden seguir en algunas de las obras de Javier Tusell como *La transición española. La recuperación de las libertades*, Madrid, Temas de Hoy, 1997, o *Dictadura franquista y democracia, 1939-2004*, vol. XIV de la *Historia de España*, Barcelona, Crítica, 2004. También la síntesis de Charles Powell,

España en democracia, 1975-2000, Barcelona, Plaza & Janés, 2001, y el esfuerzo de actualización de David Ruiz, *La España Democrática (1975-2000). Política y sociedad*, Madrid, Síntesis, 2002, y Mario P. Díaz Barrado, *La España democrática (1975-2000). Cultura y vida cotidiana*, Madrid, Síntesis, 2006. La importancia de los movimientos sociales se expone con detalle en la obra de Nicolás Sartorius y Alberto Sabio, *El final de la dictadura: la conquista de la democracia en España*, Madrid, Temas de Hoy, 2007. Para una revisión crítica del proceso de la Transición democrática hay que seguir el análisis de Ferran Gallego, *El mito de la transición. La crisis del franquismo y los orígenes de la democracia (1973-1977)*, Barcelona, Crítica, 2008. Un balance de lo mucho que se ha investigado y publicado, y de los debates más actuales, en las obras colectivas dirigidas por Carme Molinero, *La transición, treinta años después. De la dictadura a la instauración y consolidación de la democracia*, Barcelona, Península, 2006; y Rafael Quirosa-Cheyrouze y Muñoz en *Historia de la Transición en España. Los inicios del proceso democratizador*, Madrid, Biblioteca Nueva, 2007.

Para los años posteriores a la Transición, la consolidación democrática y el final del siglo, el relato ordenado de Javier Tusell y Javier Paniagua, *La España democrática*, Madrid, El País, 2008. Las transformaciones sociales en la obra editada por Juan Jesús González y Miguel Requena, *Tres décadas de cambio social en España*, Madrid, Alianza, 2005.

CRONOLOGÍA

10-12-1898	Tratado de París entre España y los Estados Unidos. Cesión de Cuba, Filipinas y Puerto Rico, los últimos restos del imperio colonial.
Mayo de 1902	Mayoría de edad y jura como rey de Alfonso XIII.
Enero de 1903	Muerte de Sagasta.
Enero-abril de 1906	Conferencia de Algeciras. Avance del colonialismo franco-español en Marruecos.
Julio de 1907	Creación de Solidaridad Obrera.
Julio de 1909	Semana Trágica en Barcelona. Desastre del Barranco del Lobo.
Octubre de 1909	Dimisión de Maura de la presidencia del Gobierno.
Noviembre de 1910	Se funda la Confederación Nacional del Trabajo (CNT) en Barcelona.
Abril de 1912	Creación del Partido Reformista.
Noviembre de 1912	Asesinato de José Canalejas. Inicio del protectorado español de Marruecos.
Agosto de 1914	España se declara neutral ante la Primera Guerra Mundial.
Febrero-marzo de 1917	Huelga de la Canadiense en Barcelona que se convierte en huelga general.
Julio de 1921	Desastre de Annual y Monte Arruit.
Noviembre de 1921	Creación del Partido Comunista Español.
Septiembre de 1923	Golpe de Estado de Miguel Primo de Rivera y formación del Directorio Militar.
Diciembre de 1925	Inicio del Directorio Civil. Muere Pablo Iglesias.
Mayo de 1926	Fin de la guerra de Marruecos. Abd-el-Krim se entrega a Francia.

Julio de 1927   Fundación de la Federación Anarquista Ibérica (FAI) en Valencia.

Enero de 1930   Dimisión del dictador Miguel Primo de Rivera.

17-8-1930   Firma del Pacto de San Sebastián.

12-12-1930   Insurrección republicana en Jaca, liderada por los militares Fermín Galán y Ángel García Hernández. Ambos son ejecutados.

17-2-1931   Nombramiento como presidente del Gobierno del almirante Juan Bautista Aznar.

12-4-1931   Elecciones municipales que se convierten en un plebiscito entre monarquía o república.

14-4-1931   Victoria en las grandes ciudades de las candidaturas republicanas. Proclamación de la República en diferentes puntos del país.

14-4-1931   Francesc Macià proclama la República Catalana.

28-6-1931   Celebración de elecciones generales a Cortes Constituyentes en las que sale victoriosa la coalición republicano-socialista.

9-12-1931   Aprobación de la Constitución republicana.

10-12-1931   Alcalá-Zamora es elegido presidente de la República por las Cortes.

10-8-1932   Fracaso del intento de golpe de Estado del general Sanjurjo.

9-9-1932   Aprobación del Estatuto de Autonomía de Cataluña en las Cortes y de la Ley de Reforma Agraria.

28-2-1933   Fundación de la CEDA, Confederación Española de Derechas Autónomas.

7-9-1933   Alcalá Zamora destituye a Azaña y Lerroux recibe el encargo del presidente de la República de formar Gobierno.

3-12-1933   Segunda vuelta de las elecciones generales, en las que salen victoriosos la CEDA y el Partido Radical.

19-12-1933   Lerroux presenta su gobierno a las nuevas Cortes.

25-4-1934   Lerroux presenta su dimisión como jefe del Ejecutivo y al día siguiente se nombra a Ricardo Samper.

4-10-1934   Lerroux vuelve a formar Gobierno.

5-10-1934	Inicio de la huelga general en Cataluña que desata los hechos de octubre de 1934.
Del 5 al 18-10-1934	Revolución obrera en Asturias que acaba aplastada y duramente reprimida por el ejército de África.
17-5-1935	Aprobado el nombramiento del general Franco como jefe del Estado Mayor.
16-2-1936	Terceras elecciones generales de la República. Victoria del Frente Popular.
8-3-1936	Reunión en Madrid de los generales contrarios a la República. Se acuerda el golpe militar.
10-5-1936	Azaña es elegido presidente de la República.
13-7-1936	Asesinato de José Calvo Sotelo.
18-7-1936	Franco firma una declaración de estado de guerra y se pronuncia contra el Gobierno.
19-7-1936	Franco llega a Tetuán y algunas guarniciones peninsulares se suman al golpe. Formación del Gobierno Giral.
4-9-1936	Francisco Largo Caballero pasa a ocupar la presidencia del Gobierno.
21-9-1936	Franco es nombrado Generalísimo por la Junta de Defensa Nacional.
20-11-1936	José Antonio Primo de Rivera es fusilado.
26-4-1937	Bombardeo de Gernika por la Legión Cóndor.
16-6-1937	El POUM es declarado ilegal y su líder, Andreu Nin, detenido y trasladado a Madrid.
21-10-1937	Gijón y Avilés caen en manos de Franco y la República pierde el control de todo el norte de España.
6-4-1938	Formación del nuevo Gobierno Negrín.
Del 25-7-1938 al 16-11-1938	Batalla del Ebro.
26-1-1939	Ocupación de Barcelona.
29-3-1939	Ocupación de Madrid.
1-4-1939	Franco anuncia el fin de la guerra.
23-10-1940	Entrevista de Franco con Hitler en Hendaya.
28-2-1941	Muere Alfonso XIII.
7-8-1953	Firma del Pacto con Estados Unidos.
14-12-1955	Se admite a España en la ONU.
25-2-1957	Formación de un nuevo Gobierno con «tecnócratas».

17-5-1958	Ley sobre los Principios Fundamentales del Movimiento.
Febrero de 1959	Fundación de ETA.
9-5-1963	Creación del Tribunal de Orden Pública (TOP).
28-12-1963	Primer Plan de Desarrollo.
10-9-1968	Segundo Plan de Desarrollo.
12-10-1968	Independencia de la Guinea española.
22-7-1969	Franco designa a Juan Carlos de Borbón como su sucesor.
23-3-1972	Tercer Plan de Desarrollo.
8-6-1973	Carrero Blanco nombrado Primer Ministro.
20-12-1973	Asesinato de Carrero Blanco por parte de ETA.
3-1-1974	Gobierno de Arias Navarro.
20-11-1975	Muerte de Franco.
1-7-1976	Dimisión de Arias Navarro.
5-7-1976	Adolfo Suárez, nuevo jefe del Gobierno.
15-12-1976	Aprobación en referéndum de la Ley para la Reforma política.
9-4-1977	Legalización del PCE.
15-6-1977	Primeras elecciones generales. Triunfo de la Unión de Centro Democrático (UCD).
27-10-1977	Firma de los Pactos de La Moncloa.
6-12-1978	Aprobación en referéndum de la Constitución española.
1-3-1979	Elecciones generales. Nueva victoria de la UCD.
29-1-1981	Dimisión de Adolfo Suárez.
23-2-1981	Golpe de Estado del 23-F.
25-2-1981	Calvo Sotelo, nuevo presidente del Gobierno.
30-5-1982	Entrada de España en la OTAN.
28-10-1982	Victoria del PSOE en las elecciones generales.
2-12-1982	Primer Gobierno de Felipe González.
1-1-1986	España ingresa en la Comunidad Europea.
12-3-1986	Se aprueba en referéndum la permanencia de España en la OTAN.
22-6-1986	Nueva victoria del PSOE en las elecciones generales.
14-12-1988	Huelga general contra la política económica del Gobierno.
29-10-1989	Nueva victoria del PSOE en las elecciones generales.

20-4-1992 Exposición Universal de Sevilla.

25-7-1992 Comienzo de los Juegos Olímpicos de Barcelona.

6-6-1993 Cuarta victoria de Felipe González sin mayoría absoluta.

3-3-1996 Victoria de Aznar y del PP en las elecciones generales.

12-3-2000 Nuevo triunfo de Aznar y el PP en las elecciones generales.

22-7-2000 José Luis Rodríguez Zapatero elegido secretario general del PSOE.

ÍNDICE DE NOMBRES

Silvela, Francisco, 22, 37, 40, 41
Sindicato Español Universitario
 (SEU), 167, 177
Solé Tura, Jordi, 217
Solís Ruiz, José, 190, 191
Stalin, 134
Suárez Cortina, Manuel, 250
Suárez, Adolfo, 205, 209, 210,
 212, 213, 218, 221

T

Tarradellas, Josep, 216
Tejero, Antonio, 221-222
Tercera Internacional, 64
Tierno Galván, Enrique, 187,
 210
Tomás y Valiente, Francisco, 236
Tovar, Antonio, 146
Tribunal de Orden Público
 (TOP), 159, 187, 193, 209, 213
Truman, Harry S., 175

U

Ullastres Calvo, Alberto, 178-179
Unión de Centro Democrático
 (UCD), 213, 214, 216, 217,
 218, 221, 223, 226

Unión General de Trabajadores
 (UGT), 34, 41, 45, 49, 51, 55,
 57, 64, 67, 68, 76, 93, 95, 106,
 109, 115, 128, 138, 185, 208,
 213, 222, 232
Unión Militar Española (UME),
 117
Unión Patriótica, 67, 71, 74, 79

V

Varela, José Enrique, 117, 148,
 167
Vega de Armijo, marqués de la,
 40
Vidal i Barraquer, Francesc, 170
Vigón, Juan, 150
Villaescusa, Emilio, 212
Villegas, Rafael, 117

W

Weyler, Valeriano, 20, 21, 77

Y

Yagüe, Juan, 138
Yzurdiaga, Fermín, 146